PORTUGUÊS XXI

Livro do Aluno

Nível A1

Autora

Ana Tavares

Direção

Renato Borges de Sousa

Colaboração

Carlos Alvarenga (Unidade 11)
Elizabeth Vera Cruz (Unidade 12)

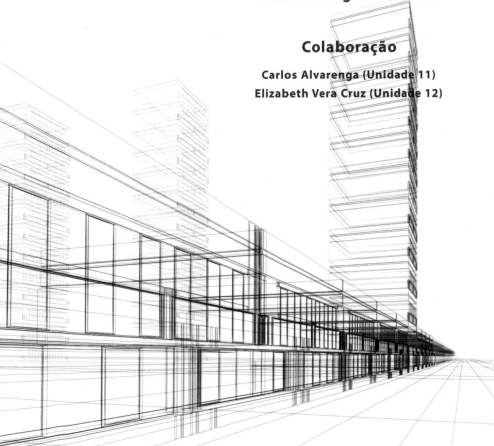

EMPRESA PROMOTORA
DA LÍNGUA PORTUGUESA

Lidel – edições técnicas, lda

COMPONENTES DO MÉTODO

NÍVEL 1 (A1)
Livro do Aluno
Caderno de Exercícios
Livro do Professor
PACK (Livro do Aluno +
Caderno de Exercícios)

NÍVEL 2 (A2)
Livro do Aluno
Caderno de Exercícios
Livro do Professor
PACK (Livro do Aluno +
Caderno de Exercícios)

NÍVEL 3 (B1)
Livro do Aluno
Caderno de Exercícios
Livro do Professor
PACK (Livro do Aluno +
Caderno de Exercícios)

EMPRESA PROMOTORA
DA LINGUA PORTUGUESA

A **Lidel** adquiriu este estatuto através da assinatura de um protocolo com o **Camões – Instituto da Cooperação e da Língua**, que visa destacar um conjunto de entidades que contribuem para a promoção internacional da língua portuguesa.

EDIÇÃO E DISTRIBUIÇÃO
Lidel – Edições Técnicas, Lda.
Rua D. Estefânia, 183, r/c Dto. – 1049-057 Lisboa
Tel: +351 213 511 448
lidel@lidel.pt
Projetos de edição: editoriais@lidel.pt
www.lidel.pt

LIVRARIA
Av. Praia da Vitória, 14 A – 1000-247 Lisboa
Tel: +351 213 541 418
livraria@lidel.pt

Copyright © 2012, Lidel – Edições Técnicas, Lda.
ISBN edição impressa: 978-989-752-380-9
1.ª edição impressa: janeiro 2003
4.ª edição com áudio *online*: julho 2018
Reimpressão de agosto 2022

Conceção de *layout*: Elisabete Nunes
Paginação: Elisabete Nunes e DPI Cromotipo
Impressão e acabamento: Cafilesa – Soluções Gráficas, Lda. – Venda do Pinheiro
Depósito Legal: 443136/18

Capa: Elisabete Nunes

Ilustrações: Liliana Lourenço / Re-searcher

Fotografias: Vários – Fotolia.com – Istockphoto.com

Faixas áudio
Vozes: Paulo Espírito Santo, José Alves, Sofia Brito e Bárbara Lourenço
Coordenação: Paulo Espírito Santo
Execução Técnica: Audio In Produções

Ⓟ & Ⓒ 2012 – Lidel
Ⓛ SPA

Introdução

A **Nova Edição** do *PORTUGUÊS XXI*, embora mantendo a mesma estrutura e conteúdos, visa uma melhor adaptação à atualidade, pelo que surge com um novo *design* muito mais atrativo e moderno, apresentando novas fotografias, ilustrações e ficheiros áudio com novas gravações disponíveis em www.lidel.pt.

PORTUGUÊS XXI – Iniciação destina-se a alunos principiantes ou falsos principiantes. Este primeiro livro cobre as estruturas gramaticais e as áreas lexicais básicas, preparando gradualmente o aluno para se expressar de forma eficaz no presente, no passado e no futuro.

A existência de um Caderno de Exercícios permite que o aluno trabalhe essencialmente as áreas gramaticais e lexicais que surgem nas aulas e poderá ser utilizado em casa, como um trabalho complementar. Assim, logo desde o início, a aprendizagem na aula, tendo o apoio dos ficheiros áudio , privilegia a oralidade.

O *PORTUGUÊS XXI* é um método que tem uma preocupação especial pelo desenvolvimento da compreensão e da expressão oral do aluno em situações reais de fala, pelo que, no final deste nível, o aluno sentir-se-á apto para: dar e pedir informações de carácter pessoal, geral e profissional; fazer perguntas, pedidos e marcações; pedir e dar instruções; fazer descrições; relatar factos passados e da vida quotidiana; fazer planos; dar a sua opinião, discordar ou manifestar acordo; expressar-se nos vários estabelecimentos comerciais.

No final de cada unidade, existe sempre um exercício de carácter fonético para que o aluno tenha a oportunidade de ouvir e praticar os sons em que habitualmente sente mais dificuldade.

Índice Geral

Índice Geral

Índice Geral

Índice Geral

Olá! Como está?

- Apresentar-se
- Cumprimentar
- Despedir-se
- Dar informações de carácter pessoal
- Nome
- Morada
- Estado civil
- Nacionalidades
- Países / Cidades
- Profissões
- Números (até 20)
- Adjetivos
- Pronomes pessoais sujeito
- *ser / ser de*
- *ter*
- "Como está? / Como estás?"
- Artigos definidos
- Frases afirmativas/ negativas / interrogativas
- Interrogativos
- Preposições: *de / em*
- *chamar-se; morar (em); falar*
- O alfabeto, ditongos e outros sons específicos do Português

A. Apresentação

1. Leia e ouça o diálogo.

Ler e ouvir

Pablo:	Olá! Como se chama?
Ana:	Chamo-me Ana. E você?
Pablo:	Sou o Pablo.
Ana:	De onde é?
Pablo:	Sou de Madrid. Sou espanhol. Você também é espanhola?
Ana:	Não, sou portuguesa. Sou de Lisboa.

2. Complete com *é* ou *não é*.

Compreensão escrita

1. O Pablo _____ espanhol.
2. A Ana _____ de Madrid.
3. O Pablo _____ de Lisboa.
4. A Ana _____ portuguesa.

3. Ouça e complete o diálogo.

Compreensão oral

A – Boa _____! _____ o João. Como _____ chama?

B – _____-me Pierre.

A – De _____ é você, Pierre?

B – _____ de Paris. E você?

A – Eu _____ _____ Lisboa.

4. Leia e ouça os diálogos.

Fotografia n.º _____

    A – Olá! Como estás?

    B – Bem, obrigado. E tu?

    A – Estou bem, obrigada. Até amanhã.

    B – Até amanhã.

Fotografia n.º _____

    A – Quem é ela?

    B – É a minha professora de português.

    A – Como é que ela se chama?

    B – Chama-se Teresa Martins.

Fotografia n.º _____

    A – Boa tarde, Hans. Este é o meu amigo Pedro.

    B – Muito prazer. Sou o Hans.

    C – És holandês?

    B – Não, sou alemão, mas moro em Lisboa. Estudo português numa escola de línguas.

Relacione as fotografias com os diálogos.

5. Complete como no exemplo.

Exemplo

O Hans é **da** Alemanha. **Então, ele é alemão e fala alemão.**

1. __ Pedro é _____ Portugal. **Então,** _____

2. __ Pablo é _____ Espanha. **Então,** _____

3. __ Nadine é _____ França. **Então,**   *francesa* _____

4. __ Roberto é _____ Brasil. **Então,**   *brasileiro* _____

5. __ Julie é _____ Estados Unidos. **Então,** _____

Olá! Como está?

Ouvir e ler

6. 1. Ouça os dois diálogos.
   2. Agora, leia as duas bandas desenhadas.

7. Selecione a resposta adequada para cada pergunta.

Relacionar

1. Como está?
- ☐ **a.** Bem, obrigado.
- ☐ **b.** Muito prazer.
- ☐ **c.** Até amanhã.

4. Como se chama?
- ☐ **a.** Muito prazer.
- ☐ **b.** Sou o Miguel.
- ☐ **c.** Estou bem, obrigada.

2. Este é o Miguel.
- ☐ **a.** Muito prazer.
- ☐ **b.** Adeus.
- ☐ **c.** Até amanhã.

5. Olá!
- ☐ **a.** Viva, como está?
- ☐ **b.** Até amanhã.
- ☐ **c.** Muito prazer.

3. Quem é ele?
- ☐ **a.** É português.
- ☐ **b.** É o diretor.
- ☐ **c.** É simpático.

6. Bom dia!
- ☐ **a.** Adeus.
- ☐ **b.** Como está?
- ☐ **c.** Bem, obrigado.

Como se chama?
Como é que se chama?
Como é que você se chama?
} (eu) Chamo-me…
(eu) Sou…

Como é que ela se chama? ⟶ (ela) Chama-se…
Como é que ele se chama? ⟶ (ele) Chama-se…
Quem é ela? ⟶ É…
Quem é ele? ⟶ É…
De onde é / és? ⟶ Sou de..

Olá!   Como está?   Muito prazer!
Bom dia!   Como estás?   Muito gosto!
Boa tarde!   Bem, obrigado/a.

8. **Leia o texto. Depois, ouça as perguntas e responda.**

Ler e ouvir

Esta é a minha amiga Marta. Ela é portuguesa, de Coimbra. A Marta é secretária e mora em Lisboa.

1. _____ Marta.

2. _____ secretária.

3. _____ Lisboa.

4. _____ Coimbra.

5. _____ portuguesa.

Ler

9. **Leia os textos.**

Estes são o André e a Mafalda. São os filhos do Dr. Soares. Moram em Sintra com os pais e falam português e italiano.

Este é o Dr. António Soares. Ele é advogado, mas não é português. É brasileiro e mora em Sintra. Ele é de S. Paulo, no Brasil. É casado, mas a mulher não é brasileira. Ela é italiana, mas fala português muito bem.

10. Responda às perguntas.

1. Onde moram os filhos do Dr. Soares?

_____

2. Como é que eles se chamam?

_____

3. Qual é a profissão do Dr. Soares?

_____

4. Qual é a nacionalidade do Dr. Soares?

_____

5. A mulher do Dr. Soares também é brasileira?

_____

Esta é…	É casado.
Este é…	Mora em…
Estes são…	Moram em…
	Fala português e italiano.
	Falam português e italiano.

11. Os números

1. Ouça com atenção e repita.

OS NÚMEROS

0-zero, 1-um/uma, 2-dois/duas, 3-três, 4-quatro, 5-cinco, 6-seis, 7-sete,

8-oito, 9-nove, 10-dez, 11-onze, 12-doze, 13-treze, 14-catorze, 15-quinze,

16-dezasseis, 17-dezassete, 18-dezoito, 19-dezanove, 20-vinte

2. Complete como no exemplo.

Exemplo

zero - *o*

catorze _____	dez _____	dezasseis _____	dezassete _____
oito _____	quatro _____	sete _____	nove _____ seis _____
dezoito _____	onze _____	três _____	dezanove _____
dois/duas _____	cinco _____	doze _____	quinze _____ treze _____

3. Escreva os números que vai ouvir.

_____

_____

_____

B. Informações de carácter pessoal

1. Leia os textos e responda às perguntas.

A

– Olá! Sou a Brigitte. Sou alemã e sou estudante de português na Universidade.

Sou de Berlim, na Alemanha, mas agora moro em Lisboa, na casa de uma família portuguesa, na Rua do Sol, n.º 5. Não sou casada; sou solteira. Tenho muitos amigos portugueses.

1. Como é que ela se chama?

_____

_____

2. Qual é a nacionalidade da Brigitte?

_____

_____

3. Ela é casada?

_____

_____

4. A Brigitte tem amigos portugueses?

_____

_____

B

– Olá!

Chamo-me Cesária e sou de Angola.

Agora, moro em Lisboa com a minha família. Sou estudante de Economia e tenho 20 anos.

1. De onde é a Cesária?

_____

_____

2. Ela mora em Angola?

_____

_____

3. Qual é a profissão da Cesária?

_____

_____

4. Quantos anos tem ela?

_____

_____

na Alemanha	sou de Angola
moro em	sou solteira / casada
moro na rua	tenho 20 anos

2. Ouça os textos com atenção e complete.

Compreensão oral

A

– Olá! _____ a Brigitte. Sou _____ e estudante de _____ na Universidade. _____ _____Berlim, na Alemanha, mas agora moro ____ Lisboa, na casa ____ uma família portuguesa na Rua do Sol, n.º ____. Não sou casada; sou _____. _____ muitos amigos portugueses.

B

– Olá! Chamo _____ Cesária e _____ de Angola. Agora, _____ em Lisboa _____ a minha família. Sou estudante de _____ e tenho ____ anos.

3. Complete os seguintes textos.

Completar / Compreensão oral

1.

A Olá! _____ Miguel. _____ português e _____ em Sintra. Sou médico _____ Lisboa e gosto de jogar ténis. A minha mulher _____ italiana, mas _____ português _____ bem.

B Bom dia! _____ a nova professora de português e _____ Rita. Eu e a minha família _____ do Porto. Os meus alunos _____ muito simpáticos e são todos _____ .

2. Agora ouça os textos e confirme o que escreveu.

4. Siga o exemplo e responda às perguntas, só com o verbo.

Exemplo

– Você **é** americano?   – **Sou.**

1. Você é estudante? _____

2. Ela mora em Lisboa? _____

3. Eles são professores? _____

4. Você é casado? _____

5. Você fala português? _____

6. Você tem amigos portugueses? _____

7. Ele é o Dr. Martins? _____

8. Elas são dos Estados Unidos? _____

9. És francês? _____

10. Você é do Brasil? _____

5. Complete as frases com as seguintes profissões.

estudante / pintora / polícia / secretária / jardineiro / médica / cozinheiro / motorista / engenheiro / enfermeiras / carpinteiro / bombeiros / empregada de mesa / agricultor / taxista

Ele é _____

Eles são _____

Ele é _____

Ela é _____

Ela é _____

Ela é _____

Elas são _____

Ele é _____

Ela é _____

Ela é _____

Ele é _____

Compreensão oral

6. Assinale a frase que ouviu.

1. a) Ela é de Portugal.
b) Ele é de Portugal.

2. a) Como se chama?
b) Como te chamas?

3. a) Moro em Lisboa.
b) Mora em Lisboa.

4. a) São da Alemanha.
b) Sou da Alemanha.

5. a) Como está?
b) Como estás?

6. a) Você fala português?
b) Vocês falam português?

Selecionar

7. Selecione a frase correta.

1. a) Sou de Portugal.
b) Sou do Portugal.

2. a) Sou bem, obrigado.
b) Estou bem, obrigado.

3. a) Berlim é na Alemanha.
b) Berlim é em Alemanha.

4. a) A Marta é rececionista.
b) A Marta és rececionista.

5. a) Eu estou italiana.
b) Eu sou italiana.

6. a) Ele chamo-me Matias.
b) Ele chama-se Matias.

7. a) Eu mora no Porto.
b) Eu moro no Porto.

8. a) Este é o Manuel.
b) Este está o Manuel.

8. Simulação

Falar

Apresentação: nome, nacionalidade, profissão, morada,
línguas que fala, estado civil

a) Apresente-se aos colegas.

b) Faça perguntas a um colega. Estabeleça um diálogo.

c) Apresente o colega aos outros.

d) Selecione um colega e escreva num papel o seu nome, nacionalidade, estado civil e a cidade onde mora. Responda às perguntas dos seus colegas com **Sim** ou **Não**.

Exemplos
– Ele é inglês?   – Não, não é.
– Ele é advogado?   – É.

EXPRESSÕES

Olá!	**Este é...**
Bom dia!	**Esta é...**
Boa tarde!	**Estes são...**
Boa noite!	**Muito prazer!**
Tudo bem?	**Até amanhã!**
Como está?	**Até logo!**
Como estás?	**Boa viagem!**
Bem, obrigado/a.	**Adeus!**

C. Fonética

1. O alfabeto

 1. Ouça e repita.

> a - b - c - d - e - f - g - h - i - j - k - l - m - n -
> o - p - q - r - s - t - u - v - w - x - y - z

 2. Ouça e repita as palavras.

a - **Á**frica	**n** - **n**acionalidade
b - **b**em	**o** - m**o**ra
c - **C**anadá, **C**oimbra, **c**inco	**p** - **p**olícia
d - **d**ois	**q** - **q**uinze, **q**uatro
e - **é**s	**r** - **r**ua
f - **F**rança	**s** - **s**eis
g - **g**osto	**t** - **t**em
h - **H**olanda	**u** - **u**niversidade
i - **I**tália	**v** - **v**inte
j - **j**ardineiro	**x** - **X**angai
l - **L**isboa	**z** - **z**oze
m - **m**oro	

2. Ditongos e outros sons

 1. Ouça e repita.

> ai - ei - oi - ui - au - ao - eu
>
> - iu - ou - nh - lh - ch

 2.

ai - p**ai**s	**eu** - m**eu**
ei - s**ei**s	**iu** - v**iu**
oi - d**oi**s	**ou** - s**ou**
ui - R**ui**	**nh** - Alema**nh**a
au - m**au**	**lh** - fi**lh**o
ao - **ao**	**ch** - **ch**amo

3. Soletre as palavras e leia-as.

Alemanha	tem	Portugal
têm	chamas	está
tenho	são	falam
estão	também	este
casado	prazer	

Apêndice Gramatical

1 Afirmativa / Negativa / Interrogativa

Eu moro em Lisboa.
Ela não mora em Londres.
Onde é que você mora?
Onde é que ele mora?
Onde é que ela mora?
És português?

2 Nacionalidades

– Qual é a nacionalidade da Brigitte?
– É alemã.

3 Profissões

– Qual é a profissão da Cesária?
– É estudante.

4 Formas de apresentação

– (Eu) sou...
– (Eu) chamo-me...
– (Ele/ela/você) chama-se...
– Este é o meu professor.
– Esta é a Teresa.
– Muito prazer. Como está?
– Bem, obrigado.

5 Números

1 - um / uma	11 - onze
2 - dois / duas	12 - doze
3 - três	13 - treze
4 - quatro	14 - catorze
5 - cinco	15 - quinze
6 - seis	16 - dezasseis
7 - sete	17 - dezassete
8 - oito	18 - dezoito
9 - nove	19 - dezanove
10 - dez	20 - vinte

6 Verbos

	ser
eu	*sou*
tu	*és*
você/ela/ele	*é*
nós	*somos*
vocês/elas/eles	*são*

	ter
eu	*tenho*
tu	*tens*
você/ela/ele	*tem*
nós	*temos*
vocês/elas/eles	*têm*

Exemplos

Eu *sou* brasileiro.
Ele *é da* Noruega.
Lisboa *é em* Portugal.
Ela *é* casada.

Tenho 20 anos.
Temos muitos amigos.

7 Artigos definidos

	Artigos definidos	
	masculino	feminino
Singular	*o*	*a*
Plural	*os*	*as*

Exemplos

O professor

Os professores

A professora

As professoras

8 Países e Nacionalidades

Ela é de	Ele é	Ela é	Eles são	Elas são
Portugal	**português**	**portuguesa**	**portugueses**	**portuguesas**
(a) Espanha	espanhol	espanhola	espanhóis	espanholas
(a) França	francês	francesa	franceses	francesas
(a) Itália	italiano	italiana	italianos	italianas
(a) Inglaterra	inglês	inglesa	ingleses	inglesas
a Alemanha	alemão	alemã	alemães	alemãs
a Bélgica	belga	belga	belgas	belgas
a Suécia	sueco	sueca	suecos	suecas
a Holanda	holandês	holandesa	holandeses	holandesas
o Brasil	brasileiro	brasileira	brasileiros	brasileiras
os Estados Unidos da América	americano	americana	americanos	americanas
o Japão	japonês	japonesa	japoneses	japonesas
Angola	angolano	angolana	angolanos	angolanas
Moçambique	moçambicano	moçambicana	moçambicanos	moçambicanas

Onde fica o hotel?

- Localizar
- Descrever lugares
- Pedir informações sobre lugares
- Reservar um quarto no hotel
- Cidade
- Lojas
- Casa
- Mobília
- Escola
- Hotel
- Números (até 100)
- *ser / estar*
- Presente do Indicativo: verbos em *-ar*
- Artigos indefinidos
- *haver*
- Preposições: *com*
- Locuções de lugar
- Adjetivos
- Interrogativos
- *isto / isso / aquilo*
- *b / v / f*

A. Localizar

Vocabulário

1. Procure na imagem e identifique com os números.

1	uma rua	**9**	um supermercado
2	um prédio	**10**	os correios
3	uma farmácia	**11**	um cinema
4	um jardim	**12**	um carro
5	uma pastelaria	**13**	uma paragem de autocarros
6	uma escola	**14**	uma passadeira
7	um banco	**15**	uma avenida
8	um hotel		

2. Junte os elementos das duas colunas e siga o exemplo.

Exemplo

– O que **há** no jardim?
– **No** jardim **há** árvores

Verbos: *haver*; Vocabulário

• nos correios	• medicamentos
• na escola	• leite
• na pastelaria	• filmes
• *na farmácia*	• cheques
• no supermercado	• selos
• na rua	• bolos
• no cinema	• alunos
• no banco	• carros

1 - O que há na farmácia?

Na farmácia há _____

2 - _____?
_____

3 - _____?
_____

4 - _____?
_____

5 - _____?
_____

6 - _____?
_____

7 - _____?
_____

8 - _____?
_____

3. Ouça os diálogos.

Compreensão oral

A

A – Desculpe. Onde é que fica o Hotel Lisboa?

B – O Hotel Lisboa é ali, ao lado da pastelaria.

A – Obrigado.

B – De nada.

B

A – Desculpe. Podia dizer-me onde há um

supermercado?

B – Há um supermercado ali, em frente do

jardim.

A – Muito obrigada.

B – De nada.

4. Olhe para o desenho da cidade e faça frases como no exemplo.

Exemplo

– Onde é que fica o hotel?
– O hotel fica **ao lado da** pastelaria.

> em frente de
> ao lado de
> entre
> atrás de
> debaixo de
> em cima de
> dentro de

5. Relacione.

1.

vinte e cinco	54	100	sessenta e seis
trinta	42	66	setenta e oito
trinta e três	25	81	oitenta e um
quarenta	40	99	noventa e nove
quarenta e dois	30	120	cem
cinquenta e quatro	33	78	cento e vinte

 2. Ouça e escreva os números.

6.

Exemplo

O que é isto?
O que é isso?
O que é aquilo?

1. **Faça perguntas e responda como no exemplo com o vocabulário da sala de aula.**

porta / janela / mesa /
cadeira / estojo / pasta /
lápis / borracha / livro /
dicionário / quadro /
parede / chão / planta ...

Exemplo

– O que é **isto**?
– **Isso** é uma caneta.

2. **Agora localize os objetos da sua sala de aula.**

Exemplo

– Onde **está** a borracha?
– Está **dentro do** estojo.

7. Olhe para este escritório. Há <u>três</u> erros na descrição do escritório. Quais são?

- O candeeiro está *entre* a estante e o sofá.
- O sofá está *ao lado do* candeeiro.
- Este escritório tem uma secretária.
- *Em cima da* secretária há um computador.
- Não há livros neste escritório.
- A planta está *ao lado da* cadeira.
- Este escritório tem uma cadeira.

- Não há um candeeiro no escritório.
- Há três quadros na parede *atrás do* sofá.
- O escritório tem uma carpete no chão.
- A estante tem muitos livros.
- Há um cesto de papéis *debaixo da* secretária.
- *Atrás da* cadeira há uma janela.

8. Faça frases sobre a sua sala.

Exemplos

Nesta sala *há* uma janela.
Nesta sala não *há* uma televisão.
Ao lado da janela *há* uma planta.

9. Complete as frases com os verbos dados.

trabalh**ar**	fal**ar**	jog**ar**
brinc**ar**	gost**ar** (de)	estud**ar**
compr**ar**	tom**ar**	toc**ar**

Eu _____ futebol no estádio todos os dias.

Tu _____ piano.

Você _____ o pequeno-almoço no hotel.

Ele _____ de apartamentos perto do mar.

Ela _____ em frente dos correios.

Nós _____ fruta no mercado.

Vocês _____ matemática.

Eles _____ inglês e português.

Elas _____ no jardim.

B. Descrever

1. Utilize o dicionário e procure pares antónimos.

caro	fácil	sujo	barato	baixo	difícil	limpo	frio
grande	velho	pequeno	correto	novo	errado	alto	quente

antónimos

limpo ≠ sujo _____   _____

_____   _____

_____   _____

_____   _____

2. Leia as frases com atenção.

1. Eu **sou** de Berlim, mas agora **estou** em Lisboa.

2. A sala **é** grande e **está** limpa.

3. Este café **é** bom e **está** quente.

4. O apartamento **é** caro, mas **é** muito grande.

5. Hoje **está** frio, mas este casaco **é** quente.

Gramática: ser e estar

3. Escreva uma frase para cada figura, utilizando um adjetivo do exercício anterior e os verbos *ser* ou *estar*.

Atenção: em português os adjetivos são <u>variáveis</u> e dependem do nome.

a. <u>A sala **está limpa.**</u>

b. <u>A sala **está suja.**</u>

c. O teste _____

d. O teste _____

e. A casa _____

f. A casa _____

g. A conta _____

h. A conta _____

i. Os sapatos _____

j. As botas _____

k. O empregado _____

l. O empregado _____

m. A água _____

n. A água _____

o. O vestido _____

p. O vestido _____

Onde fica o hotel?

Vocabulário

4. A casa

A

B

C

D

E

F

1. Identifique as fotografias.

	cozinha
	casa de banho
	quarto
	sala
	escritório
	varanda

2. Em que partes da casa encontramos...?
   Escreva os nomes das partes da casa na caixa correta.

cama mesas de cabeceira roupeiro cómoda	secretária cadeira estante telefone
mesa sofá televisão cadeiras	frigorífico fogão lava-loiça máquina de lavar roupa

lavatório
sanita
espelho
banheira

5. Relacione.

1. Ouça o texto e depois leia.

O João é de Faro, mas agora está em Lisboa. Ele é engenheiro e mora longe do trabalho. A casa do João fica no centro da cidade, perto do rio. A casa não é grande, mas é bonita: tem dois quartos (um é grande, mas o outro é pequeno), uma sala com duas janelas e uma varanda. A cozinha fica entre a sala e o quarto pequeno. Em frente da sala há uma casa de banho. O outro quarto fica ao lado da sala. No meio há um corredor muito largo. A casa do João fica atrás da estação de metro e do mercado. A rua é estreita e muito tranquila.

Ouvir e ler

2. Responda oralmente.

a. Onde está o João?

b. Qual é a profissão do João?

c. Onde fica a casa dele?

d. Como é a casa?

e. Quantos quartos tem a casa do João?

3. Ouça o texto outra vez e complete os espaços em branco.

O João é de Faro, mas agora está em Lisboa. Ele é engenheiro e mora longe do trabalho. A casa do João fica no centro da cidade, perto do rio. A casa não é grande, mas é bonita: tem dois _____ (um é grande, mas o outro é pequeno), uma _____ com duas _____ e uma _____ . A _____ fica entre a _____ e o _____ pequeno. Em frente da _____ há uma _____ . O outro _____ fica ao lado da sala. No meio há um _____ muito largo.

A casa do João fica atrás da estação de metro e do mercado. A rua é estreita e muito tranquila.

6. O Pedro encontra uma amiga na rua. Complete o diálogo.

A – Olá, Mariana. Por aqui ?

B – Olá, Pedro! _____ estás?

A – Bem, _____. Agora moras aqui, nesta rua?

B – Sim. _____ naquele prédio ali.

A – Qual _____ ?

B – Aquele ali, _____ _____ da pastelaria.

A – Ah, sim. O teu apartamento _____ grande?

B – Sim, _____ muito grande: tem quatro _____ , _____ sala e uma varanda bonita. Também tenho uma _____ e duas _____ de banho.

Agora ouça o diálogo e corrija-o.

7. Leia o anúncio.

> **APARTAMENTO**
> **Bonito apartamento junto ao mar**
> Três quartos grandes, uma sala, uma cozinha e duas casas de banho.
> Todos os quartos têm janelas para a praia e a sala tem uma janela larga para o jardim.
> Fica perto do parque infantil e ao lado dos correios.
>
> Bom preço.
> **21 234 56 78**

1. Quantos quartos tem o **seu** apartamento?
2. Descreva o **seu** apartamento / a **sua** casa.

8.

1. Antes de ler o texto, ouça a descrição do quarto da Sara.

O meu quarto fica ao lado do quarto dos meus pais e em frente da casa de banho. O meu quarto não é grande, mas eu gosto muito dele. A minha cama fica em frente da janela. À esquerda da cama há uma mesa de cabeceira e em cima dela há um candeeiro. No chão há um tapete com muitas cores. À direita da cama tenho o meu roupeiro e uma estante com muitos livros. Na parede em frente da cama fica a minha secretária. Em cima da secretária tenho muitos lápis, canetas e o meu computador. Ah! As paredes são brancas e tenho dois quadros muito giros pendurados. Adoro o meu quarto.

2. Este é o quarto da Sara. Coloque os móveis no quarto dela.

Onde fica o hotel?

Falar

2. Este é o seu quarto. Agora descreva o seu quarto para o seu colega desenhar os móveis dentro dele.

9. No hotel

1. Ouça o diálogo.

Compreensão oral: reservar um quarto

A – Bom dia, faça o favor de dizer?

B – Bom dia, queria um quarto individual
com casa de banho.

A – Quantas noites fica?

B – Fico duas noites.

A – Com certeza. Temos um bom quarto
no 1.º andar. Aqui tem a chave. Toma
o pequeno-almoço?

B – Tomo, sim. Obrigado.

Falar

2. Faça um diálogo com um colega, tendo o anterior como exemplo.

EXPRESSÕES

Desculpe, onde fica…?	Faça o favor de dizer.
Obrigado/a.	Queria…
De nada.	Com certeza.

C. Fonética

Vamos praticar os sons das letras b, v e f.

1. Ouça e repita.

b	v	f
bom	**v**aranda	**f**ácil
Lis**b**oa	**v**inte	**f**alo
Bélgica	no**v**a	pro**f**essor
bem	ad**v**ogado	**f**amília
bom**b**eiro	a**v**enida	di**f**ícil

2. Agora ouça e repita as frases.

- O **b**om**b**eiro tra**b**alha em Lis**b**oa.

- A **V**anda **v**isita a a**v**ó.

- **F**alar é **f**ácil.

Apêndice Gramatical

1 Números

21- vinte e um	40 - quarenta
22- vinte e dois	50 - cinquenta
23- vinte e três	60 - sessenta
....	70 - setenta
30- trinta	80 - oitenta
31- trinta e um	90 - noventa
....	100 - cem

2 Interrogativos

Onde fica o hotel?

De onde és?

Qual é a sua nacionalidade?

Como é a casa dele?

O que é isso?

Quantos quartos tem a sua casa?

Quem é ela?

3 Locuções de lugar

A minha casa fica **ao lado da** escola.

A escola é **em frente da** farmácia.

O hospital fica **atrás da** casa.

Há um restaurante **entre** a casa e a escola.

O lápis está **debaixo da** mesa.

A caneta está **dentro do** estojo.

O livro está **em cima da** mesa.

4 Verbos (Presente do Indicativo)

estar	
eu	*estou*
tu	*estás*
você/ela/ele	*está*
nós	*estamos*
vocês/elas/eles	*estão*

haver
há

Exemplos

Eu *estou* em Lisboa.
A sala *está* suja.
Os livros *estão* em cima da mesa.

Exemplos

Onde *há* árvores?
Há uma farmácia nesta rua?

falar	
eu	fal**o**
tu	fal**as**
você/ela/ele	fal**a**
nós	fal**amos**
vocês/elas/eles	fal**am**

5 Artigos indefinidos

Artigos indefinidos		
	masculino	feminino
Singular	*um*	*uma*
Plural	*uns*	*umas*

Exemplos

Eu tenho *um* quarto grande.

Temos *uns* amigos ingleses.

Tens *uma* caneta?

Esta cidade tem *umas* casas muito antigas.

6 Pronomes demonstrativos (invariáveis)

isto (aqui)
isso (aí)
aquilo (ali)

Exemplos

Isto aqui é a casa de banho.
O que é *isso* aí?
Aquilo ali é uma varanda.

7 Adjetivos

A sala está limp*a*.
O quarto também está limp*o*.
As enfermeiras são simpátic*as*?
Os exercícios estão corret*os*?

mas

A sala é grand*e*.
O quarto é grand*e*.

Queria uma bica, por favor.

3

- Perguntar e dizer as horas
- Pedir no café / restaurante e noutras lojas
- Falar de ações da vida quotidiana
- Falar de ações que decorrem no momento
- Expressar preferência
- Horas
- Partes do dia
- Dias da semana
- Refeições
- Comida e bebidas
- A ementa
- Na papelaria
- Números (101-1000)
- Presente do Indicativo (verbos regulares)
- Verbos reflexos
- Interrogativos
- Preposições de tempo
- **sempre / nunca / às vezes**
- **"Queria..."**
- *estar a + Infinitivo*
- *r*

Queria uma bica, por favor.

A. Queria...

Compreensão oral

1. Diálogo no café

Empregado:	Bom dia. Faça favor.
Cliente:	Bom dia. Queria um galão, uma torrada e um copo de água.
Empregado:	O galão é escuro ou claro?
Cliente:	Escuro. E queria a torrada com pouca manteiga, por favor.
Empregado:	Muito bem.

. . .

Empregado:	Aqui está.
Cliente:	Pago já. Quanto é?
Empregado:	São 2,14€ (dois euros e catorze cêntimos).

2. As Refeições

Vocabulário

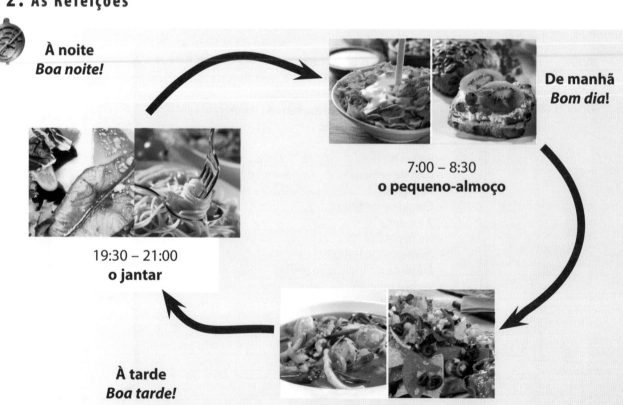

À noite
Boa noite!

De manhã
Bom dia!

7:00 – 8:30
o pequeno-almoço

19:30 – 21:00
o jantar

À tarde
Boa tarde!

12:00 – 14:00
o almoço

3. Coloque as palavras do quadro na coluna correta.

> cereais   açúcar   manteiga   arroz   legumes   bife
> chá   pão   leite   sopa   peixe   torrada   batatas fritas
> sandes   doce   fiambre   salada   vinho   massa
> fruta   iogurte   sumo de laranja   café   queijo   frango

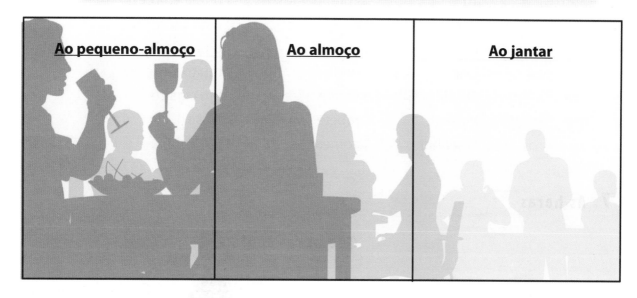

Ao pequeno-almoço	Ao almoço	Ao jantar

4. O que é que normalmente come e bebe ao pequeno-almoço? E ao almoço?

- "Ao pequeno-almoço como ...... e bebo ......"

5. Complete o quadro com as formas dos verbos.

Presente do Indicativo			
Verbos regulares			**Verbos reflexos**
trabalh**ar** estud**ar** mor**ar** jog**ar** toc**ar**	com**er** beb**er** compreend**er** viv**er** escrev**er**	abr**ir** part**ir** prefer**ir** vest**ir** repet**ir**	lembrar-**se** levantar-**se** deitar-**se** esquecer-**se** vestir-**se**
-ar	**-er**	**-ir**	
eu			
tu			
você			
ela/ele			
nós			
vocês			
elas/eles			

Queria uma bica, por favor.

Formar frases

6. Ligue os elementos e faça frases corretas.

Nós	deitam-se	basquetebol.
A senhora	escreve	açúcar no café?
Eles	trabalhas	às 8 da manhã.
Ele	moro	o exercício.
Tu	aprendemos	numa empresa.
Você	deseja	uma carta.
Eu	levanta-se	uma salada.
Elas	fuma	muito tarde.
Ela	jogam	um cigarro.
Vocês	repete	russo.
O senhor	comem	em Lisboa.

7. As horas

As horas

Que horas são?

	São duas horas.		São duas e um quarto. *ou* São duas e quinze.
	É uma hora.		É uma e meia. *ou* É uma e trinta.
	É meio-dia. É meia-noite.		São duas e quarenta. *ou* São vinte para as três.

Agora você. Que horas são?

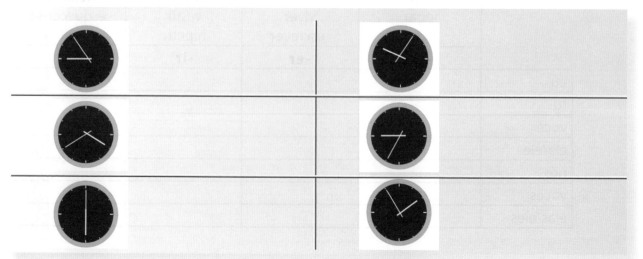

B.O dia a dia

1. A Semana

 1. Ouça os textos com atenção e depois leia-os.

(calendário: segunda-feira, terça-feira, quarta-feira, quinta-feira, sexta-feira, sábado, domingo)

A

O Pedro levanta-se às 7:00, toma um duche, veste-se e às 7:45 senta-se para comer. Ele toma o pequeno-almoço sempre em casa. Come sempre pão com manteiga e doce e bebe café com leite sem açúcar.

O Pedro é economista e entre as 9:00 e as 13:00 trabalha numa empresa no centro da cidade. Às 13:15 almoça com os colegas num restaurante perto do trabalho. Às terças e quintas, às 18:00, tem aulas de inglês numa escola de línguas. À noite chega a casa e prepara o jantar. Janta às 20:00 e deita-se sempre às 22:00. Ao sábado de manhã, o Pedro vai às compras e à tarde limpa a casa. Ao sábado à noite, ele sai com os amigos e deita-se tarde. Ao domingo, ele só se levanta às 11 horas e almoça em casa dos pais.

B

A Isabel é médica num hospital nos arredores de Lisboa. É casada e tem dois filhos. Durante a semana, a Isabel levanta-se às 6:45, toma um duche, veste-se e prepara o pequeno-almoço para todos. O marido leva as crianças à escola e ela começa a trabalhar às 9:00. Às segundas, quartas e sextas, às 13:00, a Isabel come normalmente só uma sandes e bebe um sumo, porque tem de estar cedo no consultório. Às terças e quintas à tarde, a Isabel tem ginástica.

À noite, toda a família janta às 20:15 e todos conversam. As crianças deitam-se cedo, mas os pais nunca se deitam antes das 23:00. Depois do jantar, eles gostam de ler um livro ou ver televisão. Eles passam o fim de semana numa casa que têm perto do mar. Lá, eles descansam, andam de bicicleta e, às vezes, vão à praia.

2. Complete estes horários com as informações dos textos.

Completar horário

O Pedro

	2.ª feira	3.ª feira	4.ª feira	5.ª feira	6.ª feira	sábado	domingo
Das 7:oo às 8:00	- levanta-se						- levanta-se tarde
Das 9:00 às 13:00							
Às 13:15							
Às 18:00		- tem aulas de inglês					
Às 20:00							
Às 22:00			- deita-se				

A Isabel

	2.ª feira	3.ª feira	4.ª feira	5.ª feira	6.ª feira	sábado	domingo
Às 6:45							- vai para casa perto do mar
Às 9:00							
Às 13:00			- almoça				- anda de bicicleta
À tarde							- descansa
Às 20:15							
À noite							- às vezes vai à praia

3. Responda. A que horas é que...

... o Pedro se levanta? _____ *Levanta-se às 7:00 horas.* _____

... o Pedro toma o pequeno-almoço? _____

... o Pedro almoça? _____

... o Pedro janta? _____

... o Pedro se deita? _____

... o Pedro normalmente se levanta ao _____
domingo?

Atenção

> **A** que horas...?
> **à** 1 hora
> **à** meia-noite
> **às** 2 horas
> **ao** meio-dia

4. Ouça novamente o texto B e complete as frases.

B A Isabel é _____ num hospital nos arredores _____ Lisboa.
É _____ e _____ dois filhos. Durante a semana, a Isabel _____ às
6:45, _____ um duche, veste-se e prepara o _____ para todos.
O marido leva as _____ à escola e ela começa a _____ às 9:00. Às
segundas, _____ e sextas, _____ 13:00, a Isabel come normalmente só uma
sandes e _____ um sumo, porque _____ de estar cedo no consultório. Às terças e
_____ à tarde, a Isabel _____ ginástica.
À _____, toda a família janta ____ 20:15 e todos conversam. As crianças
_____ cedo, mas os pais nunca _____ _____ antes das 23.00.
Depois do _____, eles gostam de ler um _____ ou ver televisão. Eles
passam o fim de semana numa casa que _____ perto do mar. Lá, eles descansam,
andam de bicicleta e, às vezes, vão à _____.

5. Ligue A com B de modo a formar uma frase.

A	B
1. Durante a semana	a. ler um livro ou ver televisão.
2. A Isabel prepara	b. a Isabel tem ginástica.
3. O marido	c. a Isabel levanta-se às 6:45.
4. Às terças e quintas à tarde	d. leva as crianças à escola.
5. Eles gostam de	e. o pequeno-almoço para todos.

Conjugar verbos

2. Descreva o dia a dia do Sr. Saraiva. Utilize os verbos: *levantar-se, tomar, preparar, sair, apanhar, trabalhar, almoçar, deitar-se; ir; chegar(a); jantar.*

1. _____
_____

2. _____
_____

3. _____
_____

4. _____
_____

5. _____
_____

6. _____
_____

7. _____
_____

8. _____
_____

9. _____
_____

10. _____
_____

11. _____
_____

12. _____
_____

13. *À noite, depois do jantar, ele e a mulher veem televisão.*

14. _____
_____

Falar

3. Fale sobre o seu dia a dia e sobre o seu fim de semana.
Agora faça perguntas a um colega ou ao professor.

Ler o texto

Compreensão do texto

Falar

Formar frases: verbos regulares

4.

1. Leia o texto.

Os portugueses levantam-se normalmente entre as 6:30 e as 7:30. Muitos tomam o pequeno-almoço em casa: pão com manteiga e doce ou queijo e café com leite. Outros tomam o pequeno-almoço numa pastelaria: um bolo e um café, por exemplo.
Começam a trabalhar por volta das 9 horas. Ao almoço, as pessoas que não têm tempo de ir a casa almoçar comem num restaurante perto do trabalho.
O jantar é entre as 8 e as 9 horas e normalmente é uma refeição completa. Os portugueses não se costumam deitar cedo.

2. Verdadeiro ou Falso?

a. Todos os portugueses tomam o pequeno-almoço em casa.

b. Normalmente os portugueses levantam-se depois das 8 horas.

c. Muitos portugueses não almoçam em casa.

d. Ao jantar, os portugueses comem pão com manteiga e bebem café com leite.

e. Os portugueses costumam deitar-se às 9:30.

3. Como é no seu país?

5. Faça frases com os elementos das duas colunas como no exemplo.
Exemplo
Eu **tomo** um **duche**.

A	B
tomar	um café
levantar-se	às 23 horas
comer	depois de tomar duche
beber	no restaurante
vestir-se	**duche**
sentar-se	uma sandes
trabalhar	o jantar na cozinha
almoçar	no sofá
chegar	às 7:30
preparar	a casa às 18 horas
deitar-se	num escritório

6. Responda com o verbo como no exemplo.

Exemplo

– **Tomas** o pequeno-almoço em casa?

– **Tomo.**

– Ele toma um duche de manhã?

– Trabalha em casa?

– Come pão com manteiga ao pequeno-almoço?

– Levanta-se cedo?

– Vocês tomam café à noite?

– Ela come sopa ao jantar?

– Vocês comem sobremesa?

– Vestes-te no quarto?

– Ela abre a porta de casa?

– Vocês preferem beber chá?

7. Agora faça perguntas ao seu colega com os verbos:

comer	levantar-se
abrir	preferir
estudar	fumar
tomar	lembrar-se (de)
beber	deitar-se
compreender	gostar (de)

8.

1. Primeiro ouça e depois leia o diálogo.

No Restaurante

A – Boa tarde.

B – Boa tarde.

A – Têm mesa reservada?

B – Não, não temos.

A – Bem, a esta hora não há problema. Preferem esta mesa ou aquela ali perto da janela?

B – Eu prefiro aquela perto da janela.

C – Sim, sim. Também acho.

A – Então, façam favor. Aqui têm a lista.

B – Obrigada.

RESTAURANTE LARA

Ementa

Sopas:

Caldo verde .... 1€
Sopa de legumes .... 1€

Peixes:

Omeleta de camarão com salada............... 9,50€
Filetes de pescada com arroz de tomate........... 9€
Sardinhas assadas .... 9€
Bacalhau cozido com batatas .... 8,50€

Carnes:

Febras com batatas fritas .... 7,50€
Costeletas com batatas fritas e salada .... 8,50€
Bife grelhado com arroz......................... 9€
Frango assado no forno....................... 8,75€

Sobremesas:

Queijo da Serra .... 4,25€
Musse de chocolate............................ 1,75€
Pudim de ovos .... 2€
Fruta da época .... 1,50€

C - Olhe, eu queria uma sopa de legumes e uma dose de sardinhas assadas. E tu?

B - Eu prefiro um caldo verde e uma dose de frango assado.

A - E para beber?

B - Eu bebo uma água mineral sem gás.

A - Fresca?

B - Não, não. Natural.

A - Com certeza. E o senhor?

C - Eu bebo uma imperial.

2. Junte A + B de modo a formar uma frase:

A	B
1. Preferem esta ou	**a.** pudim flan.
2. Queria uma dose	**b.** com gás e fresca.
3. Queria uma	**c.** de bacalhau cozido.
4. Também queria	**d.** água mineral com gás.
5. Uma água	**e.** aquela mesa perto da porta?
6. Eu prefiro um	**f.** uma imperial.

Falar

3. Imagine que está no restaurante.
   Leia a lista e faça um diálogo com o empregado.

9. Ouça e leia os diálogos e use o vocabulário alternativo para novos diálogos.

Ouvir, ler e falar

A Na Pastelaria

A - Faça favor.

B - Queria uma bica e um pastel de nata, por favor.

A - Aqui está.

B - Quanto é?

A - É 1 euro e 50 cêntimos.

B - Faça favor.

A - Não tem os 50 cêntimos?

B - Humm… Tenho sim.

A - Obrigado.

B - Até amanhã!

A - Até amanhã e muito obrigado!

Vocabulário alternativo:
- galão
- chá
- sandes de fiambre
- sumo de laranja natural
- uma água com gás
- um bolo

B Na Papelaria

A - Bom dia.

B - Bom dia. Olhe, queria dois envelopes e uma caneta azul.

A - Gosta desta?

B - Gosto. Essas escrevem bem.

A - É tudo?

B - Não. Também queria esta revista. Quanto é tudo?

A - Um momento. São 7 euros.

B - Faça favor.

A - Muito obrigada e um bom dia.

B - Bom dia.

Vocabulário alternativo:
- jornal
- borracha
- lápis
- bloco A4
- caderno
- caixa de lápis de cor

Ouvir, ler e falar

Gramática: *estar a* + Infinitivo

10.

Atenção

Normalmente	eu leio o jornal,	mas agora	**estou a ler** um livro.
	tu ouves música,		**estás a ver** televisão.
	ele joga futebol,		**está a jogar** ténis.
	nós ouvimos as notícias,		**estamos a ouvir** música.
	eles brincam com os colegas,		**estão a brincar** com os amigos.

O que é que *está/estão a fazer?*

Usar e ou mas

11. Junte as frases utilizando *e* ou *mas*.

1. Gosto de queijo. Não gosto de queijo sem pão.

2. Como pão com fiambre. Bebo chá com açúcar.

3. Os portugueses jantam tarde. Os espanhóis jantam ainda mais tarde.

4. Tenho ginástica às terças e quintas. Tenho aulas à sexta-feira.

5. Gosto de carne. Prefiro peixe.

6. Queria uma bica. Queria um bolo.

EXPRESSÕES

É tudo.	Que horas são?
Aqui está.	Olhe, queria…
Pago já.	Queria…
Quanto é?	Eu prefiro…
Quanto é tudo?	Também acho.
Muito bem.	O que é que eles estão a fazer?

C. Fonética

Vamos praticar os dois sons da letra r.

Ouça e repita as palavras:

rápido	*caro*
arroz	*falar*
carro	*três*
Rui	*catorze*
riso	*pergunta*
corro	*troco*
borracha	*horas*
correto	*quarto*

1 Presente do Indicativo - verbos regulares

	-ar	-er	-ir
eu	-o	-o	-o
tu	-as	-es	-es
você/ela/ele	-a	-e	-e
nós	-amos	-emos	-imos
vocês/elas/eles	-am	-em	-em

Nota: os verbos **vestir, despir, sentir, preferir, conseguir** mudam o **e** para **i** na 1.ª pessoa do singular: eu visto; eu dispo; eu sinto; eu prefiro; eu consigo.

2 Verbo *ir*

	ir
eu	**vou**
tu	**vais**
você/ela/ele	**vai**
nós	**vamos**
vocês/elas/eles	**vão**

3 Verbos reflexos

sentar-se; levantar-se; deitar-se; vestir-se; despir-se; lembrar-se; esquecer-se...

	-ar
eu	sento-me
tu	sentas-te
você/ela/ele	senta-se
nós	sentamo-nos
vocês/elas/eles	sentam-se

Nota: os pronomes reflexos ficam antes do verbo depois de: *pronomes interrogativos; já; ainda; também; só; não; nunca; que; onde; todos...*

Exemplos:

| Ela **deita-se** muito cedo. | **mas** | Ela nunca **se deita** cedo. |
| Eles **vestem-se** depressa. | **mas** | Onde é que eles **se vestem**? |

4 *estar a* + Infinitivo

Agora/ Neste momento

	-ar
eu	***estou a estudar*** português.
tu	***estás a ler*** um livro.
você/ela/ele	***está a ver*** televisão.
nós	***estamos a correr.***
vocês/elas/eles	***estão a jogar*** futebol.

Nota: Usa-se para ações que acontecem no momento em que falamos.

5 Preposições de tempo

Dias da semana: (habitual)   ***ao*** domingo   *(pontual)* ***no*** domingo

ao sábado   ***no*** sábado

à segunda-feira   ***na*** segunda-feira

Partes do dia: ***de*** manhã

de/à tarde

à noite

de noite

Horas: ***à*** uma hora; ***à*** meia-noite; ***ao*** meio-dia; ***às*** duas horas

6 Números

101 – cento e um

200 – duzentos

300 – trezentos

400 – quatrocentos

500 – quinhentos

600 – seiscentos

700 – setecentos

800 – oitocentos

900 – novecentos

1000 – mil

1. Preencha os espaços com os verbos na forma adequada.

1. Ela (ser) _____ casada, mas eu _____ solteira.

2. (morar) _____ em Lisboa e a minha casa (ser) _____ muito grande.

3. A Ingrid (ser) _____ da Noruega.

4. Eles (falar) _____ muitas línguas estrangeiras.

5. O Pedro e o Manuel (comprar) _____ livros e discos frequentemente.

6. (tu) (aceitar) _____ um café?

7. A Laura (escrever) _____ muitos postais e cartas aos amigos.

8. Nós (decidir) _____ fazer férias, porque (estar) _____ muito cansados.

9. A filha da Maria (ter) _____ nove anos e (chamar-se) _____ Rita.

10. A Rita (gostar) _____ de brincar no parque em frente da casa.

11. Eles (beber) _____ muitos cafés por dia.

12. De manhã eu (levantar-se) _____ às 7:00 e à noite nunca (deitar-se) _____ antes da meia-noite.

13. O Ralph (ser) _____ da Alemanha, mas (viver) _____ no Alentejo.

14. Eu (partir) _____ às 11:15 para Nova Iorque.

2. Ponha as palavras na ordem correta.

1. português é A fala Susan Inglaterra da mas

_____

2. tens Quantos anos?

_____

3. Ela os todos deita-se dias tarde

_____

4. O sr. no é português e Fonseca mora Brasil

_____

5. me domingo nunca cedo Ao levanto

_____

6. Portugal e trabalha é A Marianne alemã em

_____

7. José Como do se é que a chama mãe?

_____

8. regulares nós Hoje a verbos estamos estudar os

_____

9. horas As às aulas nove começam

_____

3. Faça as perguntas adequadas a estas respostas.

1. _____

Sim, tenho amigos em Portugal.

2. _____

Levanto-me sempre às 6:30.

3. _____

Sou de Bruxelas.

4. _____

São 2 euros e 40 cêntimos.

5. _____

Sim, lembro-me muito bem do Raul.

6. _____

O hotel fica ao lado dos correios.

7. _____

Tenho 20 anos.

8. _____

Agora vivo em Lisboa.

9. _____

A Marta é a irmã do José.

10. _____

Chamo-me Sara.

4. Escolha a resposta correta.

1. Como está?

2. Como se chama?

3. Qual é a tua nacionalidade?

4. De onde é?

5. Qual é a sua profissão?

6. Quantos anos tem?

7. Que horas são?

8. O que é que toma ao pequeno-almoço?

9. Quais são os dias da semana?

10. Que dia é hoje?

a. Hoje é quarta.

b. Sou médica.

c. Só um copo de leite frio.

d. Bem, obrigada.

e. Chamo-me Paula Costa.

f. Sou portuguesa.

g. Sou de Setúbal.

h. Tenho vinte e três.

i. São dez e meia.

j. Segunda, terça, quarta, quinta, sexta, sábado e domingo.

5. Diga: a) O que é que fazem aos sábados à noite?
         b) O que é que estão a fazer agora?

a) Ele _____
b) _____

a) Eles _____
b) _____

a) Ele **vê** um jogo de futebol.
b) Agora ele está a **ver** um jogo de futebol.

a) Eles _____
b) _____

a) Eles _____
b) _____

a) Elas _____
b) _____

6. Que horas são?

7:00	8:45	9:15	9:50
São _____ _____	_____ _____	_____ _____	_____ _____

10:22	12:10	17:20	20:50
_____ _____	_____ _____	_____ _____	_____ _____

Unidade de Revisão 1

7. Encontre a lógica desta série de números e acrescente o número a seguir em cada fila.

três / seis / nove / doze _____

vinte e um / vinte e quatro / vinte e sete / trinta _____

/ dez / vinte / trinta / quarenta _____

trinta e dois / quarenta / quarenta e oito _____

quinze / vinte / vinte e cinco _____

8. Qual é a palavra que não tem relação com o grupo?

estudante	cama
professor	mesa de cabeceira
médico	fogão
mesa	cómoda
secretária	roupeiro

leite

sumo

café

pão

cerveja

compras

trabalhas

vendes

sou

decides

9. Leia o diálogo e depois preencha o impresso.

• A senhora é americana?

• Sou, sim. Sou de Denver, nos Estados Unidos.

• Qual é o seu nome?

• Chamo-me Helen Rockfeller.

• É casada?

• Não, não. Sou divorciada.

• Qual é a sua profissão?

• Sou jornalista.

• Quantos anos tem?

• Tenho 50 anos.

Nome: _____

Nacionalidade: _____

Naturalidade: _____

Idade: _____

Estado civil: _____

Profissão: _____

10. **Agora preencha este impresso com os seus dados pessoais (ou de um/a amigo/a).**

Nome: _____

Nacionalidade: _____

Naturalidade: _____

Data de nascimento: _____ / _____ / _____

Estado civil: _____

Profissão: _____

11. **São 11 horas da manhã e você vai ao café.**
O que pede?
Faça um diálogo com o empregado. Pode escolher palavras da lista dada.

Menu

PARA COMER

sandes { de fiambre
         de queijo

tosta

sandes mista

torrada

sandes de presunto

bolo

empada

rissol

PARA BEBER

café

garoto

carioca

galão

chá

sumo de laranja

copo de leite

Empregado: Bom dia.

Você: Bom dia, queria _____, por favor.

Empregado: _____.

Você: _____.

. . . . . .

. . . . . .

12. Agora vai à papelaria.
Faça o diálogo entre você e o empregado.
Escolha palavras da lista dada.

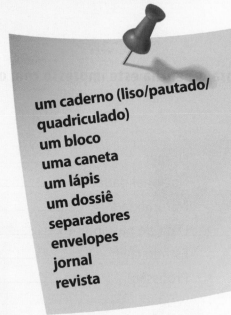

um caderno (liso/pautado/
quadriculado)
um bloco
uma caneta
um lápis
um dossiê
separadores
envelopes
jornal
revista

13. Descreva as imagens. Use as expressões dadas.

em frente de / ao lado de / entre / atrás de / debaixo de

Queres ir ao concerto?

4

- Convidar/ aceitar/ recusar
- Pedir desculpa
- Falar de atividades do tempo livre
- Concordar/discordar
- Escrever uma carta
- Ações do dia a dia
- Meios de transporte
- Passatempos
- Convites
- Países / Cidades
- Ao telefone
- Presente do Indicativo (verbos irregulares): *ir; poder; querer; saber; ver; ler; vir*
- *há / desde*
- Preposições de movimento
- Pronomes pessoais de complemento indireto
- *ter de*
- *ir + Infinitivo*
- O alfabeto
- Soletrar palavras
- *a*

A. Convidar

COLISEU DOS RECREIOS

Deolinda

Dias 5 e 6 de abril
às 21.30

1. Queres ir ao Coliseu?

Ler e ouvir

Paulo:	Olha, Ricardo! Os Deolinda vão tocar no Coliseu no próximo fim de semana. Queres ir? Acho que vai ser um bom espetáculo e há muito tempo que não vou a um concerto.
Ricardo:	Gosto muito dos Deolinda. A música deles é fantástica. Também não vou a um concerto desde dezembro. Mas não achas que os bilhetes são muito caros? Não tenho muito dinheiro.
Paulo:	Sim, não devem ser baratos. Mas acho que vale a pena.
Ricardo:	Também acho que sim, mas na próxima semana tenho exame e tenho de estudar. Acho que prefiro voltar para casa dos meus pais em Serpa. Lá, tenho mais sossego e concentro-me melhor.
Paulo:	Que pena! Mas acho que tens razão. Aqui em Lisboa não consegues estudar. Há sempre muitas coisas para fazer. Bom, vou perguntar ao Rui se ele quer ir. Vou telefonar-lhe hoje à noite. Não quero ir sozinho.
Ricardo:	Tenho a certeza que o Rui vai. Os Deolinda são o grupo preferido dele e ele não tem problemas de dinheiro, nem exames na próxima semana. Divirtam-se!

Repare nos seguintes verbos e expressões.

Convidar / Aceitar / Recusar

Queres...?	Não sei...
Não queres ir...?	Hoje não posso.
Preferes...?	Quero. É uma ótima ideia.
Não achas que...?	Acho que...
Podes...?	Prefiro...
Quando é que...?	Desculpa, mas...
Onde é que...?	Que pena!

2. Veja se as seguintes afirmações sobre o diálogo são *verdadeiras* ou *falsas*.

1. Os Deolinda são um grupo de teatro.

Verdadeiro ❏   **Falso** ❏

2. Os bilhetes para o espetáculo dos Deolinda devem ser baratos.

Verdadeiro ❏   **Falso** ❏

3. O Ricardo e o Paulo gostam muito dos Deolinda.

Verdadeiro ❏   **Falso** ❏

4. Em Lisboa, o Ricardo não consegue estudar muito.

Verdadeiro ❏   **Falso** ❏

5. O Paulo decide convidar o Rui porque não quer ir ao concerto sozinho.

Verdadeiro ❏   **Falso** ❏

6. O Rui não tem muito dinheiro.

Verdadeiro ❏   **Falso** ❏

7. O Rui não gosta muito dos Deolinda.

Verdadeiro ❏   **Falso** ❏

3. 1. Preste atenção às seguintes formas e conjugue os verbos.

	querer	saber	poder
eu		sei	posso
ela/ele	quer		

2. Faça uma frase com cada um dos verbos.

_____

_____

_____

3. Complete o quadro com o verbo *ir*. Use as seguintes formas:
   vais; vamos; vou; vão; vai.

ir	
eu	
tu	
você	
ela/ele	
nós	
vocês	
elas/eles	

4. Complete com os verbos *ir*, *querer*, *poder* e *saber* na forma correta.

O Paulo _____ ir ao concerto dos Deolinda no próximo fim de semana.

O Ricardo não _____ ir, porque tem de estudar. Ele _____ para casa dos pais.

Ricardo: "Sabes se o Rui _____ ir ao concerto?"
Paulo: "Não, não _____."

O Paulo _____ telefonar ao Rui, porque pensa que ele _____ ir com ele. Assim, os dois _____ ao concerto e _____ divertir-se.

5. Complete o texto com as formas verbais que se encontram dentro do quadro.

há	gosta	vão	estuda	assistem

tem	prefere	descansa	gostam	pode

O Paulo e o Rui _____ muito de música. Todos os anos eles _____ a muitos concertos de música rock ou música popular portuguesa e, às vezes, também _____ a concertos de música clássica. O Ricardo também _____ de ir a concertos, mas muitas vezes não _____ ir com os amigos, porque não _____ muito dinheiro. Em Lisboa _____ sempre muitas possibilidades para ocupar o tempo: discotecas, bares, exposições, etc. Então, o Ricardo _____ ir para casa dos pais no Alentejo. Lá ele _____ e _____.

Ordenar: compreensão oral

 4. Escreva os diálogos na ordem correta. Depois ouça-os com atenção.

a. – Que pena! E amanhã?
– Esta noite? Esta noite não posso. Vou jantar com os meus pais.
– Ótimo!
– Olá, Vanda. Queres ir ao cinema esta noite?
– Amanhã à noite estou livre. Podemos ir.

a. – _____
– _____
– _____
– _____
– _____

b. – Não, porquê?
– Sim, é uma excelente ideia. A que horas vamos?
– Tens algum plano para sábado?
– De manhã. Assim, podemos subir a serra a pé e visitamos o Palácio da Pena.
– Não queres ir a Sintra?
– Está combinado.

b. – _____
– _____
– _____
– _____
– _____
– _____

B. Atividades para o tempo livre

1. Leia o texto.

Ler

> O Ricardo não pode ir ao Coliseu, porque tem de estudar. Então, o Paulo decide perguntar ao Rui se quer ir ao Coliseu ver os Deolinda. O concerto é no próximo fim de semana de abril. No sábado, dia 6, o Rui não tem nada para fazer e acha ótima a ideia do Paulo. Combinam encontrar-se num café e depois vão no carro do Rui para o Coliseu. Vai ser uma noite muito agradável.

2. Complete as perguntas sobre o texto com o pronome interrogativo adequado (*porque, quando, quem, onde*) e responda às perguntas.

1. _____ é que o Ricardo não pode ir com o Paulo?
_____

Pronomes interrogativos: compreensão do texto

2. – _____ é que o Paulo decide convidar?

– _____

3. – _____ é que eles decidem ir ao concerto?

– _____

4. – _____ é que eles decidem encontrar-se?

– _____

5. – _____ é o concerto dos Deolinda?

– _____

3. **Agora complete a conversa do Paulo ao telefone com o Rui. Depois, leia-o com um colega. Você é o Paulo.**

Rui: Está?

Paulo: Estou. Rui? Daqui fala o Paulo.

Rui: Ah! Olá! Tudo bem?

Paulo: _____

Rui: Na próxima sexta-feira não posso, mas no sábado estou livre. É uma ótima ideia.

Paulo: _____

Rui: Olha, podemos encontrar-nos no café às 20:30. O que é que achas?

Paulo: _____

Rui: Não, de metro não. Vamos no meu carro. O Ricardo também vai?

Paulo: _____

Rui: Porquê?

Paulo: _____

Rui: Que pena. Bom, então encontramo-nos no sábado.

Paulo: _____

Rui: Até sábado.

4.

1. Repare no exemplo.

Exemplo

Não vamos **de** metro. Vamos **no** meu carro.

Com os elementos do quadro faça frases com o verbo *ir*.

Eu			carro.	
Tu			autocarro n.º 31.	
Você			avião da TAP.	
Ela			bicicleta.	
Ele	*ir*	*de/em*	minha mota.	
Nós			camioneta das 18:00.	
Vocês			comboio.	
Elas			este barco.	
Eles			elétrico.	

2.

ir
vir   } **para** *(longa permanência)*
voltar   **a** *(curta permanência)*

Exemplo

Vamos **ao** concerto?
Prefiro voltar **para** a casa dos meus pais.

Complete com *para* ou *a*.

a. Eu vou viver _____ o Porto.

b. Tu, à noite, vens sempre _____ casa muito tarde.

c. Ele vai _____ casa almoçar.

d. No próximo ano, ela vai voltar _____ Lisboa para passar uma semana de férias.

e. Hoje nós vamos _____ cinema.

f. Eles vêm todos os dias _____ este restaurante.

g. Vocês vão estudar _____ Paris.

Gramática: verbos irregulares no Presente

5. Use as formas dos verbos *ver*, *ler* e *vir* do quadro e coloque-as no local correto.

vens	vejo	vimos	vê	lemos	vês
	lês	vemos	leem	vem	
veem		lê	vêm	venho	leio

	ver	**ler**	**vir**
eu			
tu			
você			
ela/ele			
nós			
vocês			
elas/eles			

Gramática: *Ir* + Infinitivo – ações no futuro

6. Ações habituais e ações no futuro.

1.

Exemplo

a) Ações habituais:

Ao domingo à noite, o Paulo **vê** sempre televisão.

b) Ações futuras:

No próximo domingo à noite, ele **vai ver** televisão.

Continue a fazer frases.

a) O que é que o Paulo **faz** ao fim de semana?

b) O que é que ele **vai fazer** no próximo fim de semana.

1. ver televisão
2. ler o jornal
3. ir ao cinema
4. jantar fora
5. praticar desporto
6. sair com os amigos
7. ler um livro
8. jogar computador
9. ir à praia
10. passear com a família

1. a) _____
    b) _____
2. a) _____
    b) _____
3. a) _____
    b) _____
4. a) _____
    b) _____
5. a) _____
    b) _____
6. a) _____
    b) _____
7. a) _____
    b) _____
8. a) _____
    b) _____
9. a) _____
    b) _____
10. a) _____
    b) _____

2. O que é que você faz ao fim de semana? Faça também perguntas ao seu colega ou ao professor.

Exemplo

Costuma sair à sexta-feira à noite?
A que horas é que se levanta ao sábado?

3. O que é que vai fazer no próximo fim de semana?

7. Sem olhar, ouça as perguntas e responda com o verbo na 1.ª pessoa. Agora responda por escrito.

1. Compreendes o texto? _____

2. Queres ir ao cinema? _____

3. Podes estar no café às 8 horas? _____

4. Prefere ir ao teatro? _____

5. Bebes café depois do jantar? _____

6. Vai para casa? _____

Falar: ações habituais

Falar: o próximo fim de semana

Compreender a pergunta e responder com o verbo

7. Achas que o concerto é bom? _____

8. Tens dinheiro para o bilhete? _____

9. Gosta dos Deolinda? _____

10. Gastas muito dinheiro? _____

11. Telefonas ao Rui? _____

12. Tens exame na próxima semana? _____

13. Lembras-te do Ricardo? _____

14. Sabes a que horas é o concerto? _____

Gramática: completar com preposições

8. Complete o texto com as palavras que se encontram dentro do quadro.

para	de	à	ao	em	no	para
na	dos	da	no	a	de	com

A Jean é _____ Estados Unidos, mas agora vive _____ Portugal, _____ casa _____ uns amigos portugueses. Eles vivem _____ centro _____ cidade. _____ próximo sábado _____ noite eles vão _____ cinema. Vão ver um filme português. Depois, vão _____ um bar brasileiro e só voltam _____ casa muito tarde. A Jean gosta muito _____ sair _____ estes amigos. No próximo ano ela vai voltar _____ os EUA.

Gramática: há / desde

9. *Há quanto tempo...?/ Desde quando...?*

Exemplo

Há quanto tempo é que vives neste apartamento?
Vivo neste apartamento *desde* janeiro.
ou
Vivo neste apartamento *há* 5 meses.

Faça perguntas aos seus colegas ou ao professor.
Pode utilizar as palavras dos quadros.

Falar

estudar	viver	jogar		português	ténis	golf	
trabalhar	ler	usar	estar	ginástica	livro	jornal	óculos
conhecer	saber	ter		carro	Lisboa	empresa	

10. Leia a carta da Catarina.

A

> Londres, 15 de novembro de 2012
>
> *Querida Rute:*
>
> *Já estou em Londres desde o dia 1 de setembro. É verdade! O tempo passa depressa. Tenho aulas todos os dias e tenho de estudar muito. Mas ao fim de semana levanto-me sempre mais tarde. Ao sábado, jogo ténis com um colega e depois, normalmente, almoçamos juntos. À tarde vou ao supermercado e compro algumas coisas para comer. Ao sábado à noite, vou sempre jantar com amigos ou colegas e depois vamos a um bar, a uma discoteca ou ao cinema. Deito-me sempre muito tarde. Ao domingo de manhã, levanto-me por volta das 11 horas, tomo um bom pequeno-almoço e fico em casa a estudar. Às vezes, leio um jornal ou um livro, ou vejo um pouco de televisão.*
>
> *E tu? Como estás? E a tua família? Tens de escrever-me a contar tudo. Como está a Joana? Amanhã vou escrever-lhe. Os meus pais telefonam-me todas as semanas, mas tenho saudades deles. No Natal vou voltar para passar duas semanas e ver todos. Vamos ter muito para falar.*
>
> *Até dezembro e beijinhos para todos da*
> *Catarina*

11. Termine as frases, selecionando a opção correta.

1. A Catarina não vê a Rute
   - ❑ **a.** há dois meses e meio.
   - ❑ **b.** há três meses.
   - ❑ **c.** há dois meses.

2. A Catarina está em Londres para
   - ❑ **a.** trabalhar.
   - ❑ **b.** estudar.
   - ❑ **c.** fazer férias.

3. Ao domingo ela toma sempre
   - ❑ **a.** um grande pequeno-almoço.
   - ❑ **b.** o pequeno-almoço na cama.
   - ❑ **c.** o pequeno-almoço muito cedo.

4. Os pais da Catarina
   - ❑ **a.** nunca lhe telefonam.
   - ❑ **b.** telefonam-lhe frequentemente.
   - ❑ **c.** telefonam-lhe todos os dias.

5. Em dezembro, a Catarina
   - ❑ **a.** vai viajar pela Inglaterra.
   - ❑ **b.** vai passar o Natal com a família.
   - ❑ **c.** vai ficar em Londres.

Falar

12. Simulação

Convide um dos seus colegas para um dos seguintes lugares:

– cinema Monumental / filme português "Tentação" / hoje à noite, às 21:30

– exposição de pintura / pintores portugueses do século XX / Centro Cultural de Belém / no próximo domingo de manhã

EXPRESSÕES

Queres...?	Ótimo!
Acho que…	Está combinado.
Não achas que…?	Está?
Acho que vale a pena.	O que achas?
Também acho que sim.	Há quanto tempo…?
Que pena!	Desde quando…?
Acho que tens razão.	É verdade!
Há muito tempo...	

C. Fonética

O alfabeto

1. Ouça novamente as letras do alfabeto e repita-as.

a - b - c - d - e - f - g - h - i - j - k - l - m - n - o - p - q - r - s - t - u - v - w - x - y - z

2. Como se escreve?
Ouça as seguintes palavras e escreva-as. Depois soletre-as.

cansado   casado   solteiro   hoje   semana   fácil

alemães   casa   limpo   espetáculo   sábado

3. Prática fonética

a) O <u>a</u> em português pode ser <u>aberto</u>, quando se encontra numa <u>sílaba tónica</u>, ou pode ser <u>fechado</u>.

Ouça estas palavras com <u>a</u> <u>aberto</u> e repita-as.

> lá   cá   má   mato   caro   falo   fácil

b) Ouça agora algumas palavras com <u>a</u> <u>fechado</u> e repita-as.

> cama   suja   falamos   semana   plano   vamos   inglesa

c) Agora vai ouvir algumas palavras com os dois sons de <u>a</u>: primeiro <u>aberto</u> e depois <u>fechado</u>.

Ouça-as e repita-as.

> *casa   sala   acha   fala   nada   mala   lava*

Apêndice Gramatical

1 Presente do Indicativo – verbos irregulares

	saber	poder	querer	ver	ler	vir	ir
eu	*sei*	*posso*	quero	*vejo*	*leio*	*venho*	*vou*
tu	sabes	podes	queres	*vês*	*lês*	*vens*	*vais*
você/ela/ele	sabe	pode	*quer*	vê	lê	vem	*vai*
nós	sabemos	podemos	queremos	vemos	lemos	*vimos*	*vamos*
vocês/elas/eles	sabem	podem	querem	*veem*	*leem*	vêm	*vão*

2 *ir* + Infinitivo – ideia de futuro

Amanhã / Depois de amanhã / Logo à noite / Na próxima semana

eu	*vou ver* televisão.
tu	*vais jogar* futebol.
você/ela/ele	*vai ler* este livro.
nós	*vamos visitar* um amigo.
vocês/elas/eles	*vão comprar* um carro.

3 *ter de* + Infinitivo – ideia de obrigação

Exemplos

Ela *tem de estudar* para o exame.
Nós *temos de comprar* leite para amanhã.
Hoje à noite eles *têm de trabalhar.*

4 há – usa-se para um período de tempo

desde – usa-se para o início de um período de tempo

Exemplos

Hoje é sexta-feira e ela está em Lisboa *desde* segunda-feira de manhã.

ou

Ela está em Lisboa *há* cinco dias.

---

5 Pronomes pessoais de complemento indireto

Pronomes Pessoais	
Sujeito	**Complemento indireto**
eu	*me*
tu	*te*
você/ela/ele	*lhe*
nós	*nos*
vocês	*vos*
vocês/elas/eles	*lhes*

Exemplos

Não falo com *a Isabel* há muito tempo.
Vou telefonar-*lhe* hoje à noite.

Amanhã vou estar com **o Tó** e com **a Ana** e vou perguntar-*lhes* se querem ir ao cinema.

6 Preposições de movimento

Direção:

a - (curta permanência) Amanhã vou *à* praia.

para - (longa permanência) Já é tarde. Vou *para* casa.

Nota: preposição *a* + artigos definidos

$$a + a = à$$
$$a + o = ao$$
$$a + as = às$$
$$a + os = aos$$

Transportes:

de - (transporte indeterminado) Vamos *de* autocarro.

em - (transporte determinado) Vamos *no* autocarro n.º 23.

Vais para o Algarve?

- Fazer planos
- Falar de passatempos e das férias
- Sugerir
- Falar sobre o tempo
- Aconselhar
- Comparar países e hábitos
- Meses
- Estações do ano
- Épocas festivas
- O tempo
- Vestuário
- Cores
- Férias, tempos livres e passatempos
- Ordinais
- Presente do Indicativo (verbos irregulares): *fazer; dizer; trazer; sair; cair; pedir; ouvir; dormir; pôr*
- Preposições *de tempo*
- *com + pronome*
- Comparativos e Superlativos
- Possessivos
- *s*

Vais para o Algarve?

A. Fazer planos para as férias

1. O João telefona ao Miguel.

Miguel: Está?

João: Estou. Miguel? Olá! Sou o João.

Miguel: Ah! Olá! Estás em Lisboa?

João: Não, estou em Viseu. Só vou ter férias no próximo mês. E tu? Quando é que vais de férias?

Miguel: Olha, eu vou no próximo sábado. Já estou a precisar.

João: Vais para o Algarve, como é habitual?

Miguel: Não, este ano vamos para a praia da ilha de Porto Santo. Tenho um amigo que vai sempre para lá e diz que aquilo é um paraíso: um mar transparente e com uma temperatura muito agradável e uma praia enorme de areia branca. Normalmente, alugamos um apartamento no Algarve e costumamos passar lá um mês. Mas este ano vamos duas semanas para a praia de Porto Santo e vamos ficar mais uma semana na ilha da Madeira que fica mesmo ao lado. Na ilha da Madeira, não vamos à praia, mas temos a piscina do hotel.

João: Eu já conheço a Madeira e o Porto Santo e acho que vocês vão adorar! E as crianças vão passar o tempo dentro de água. Mas assim só tens três semanas de férias. O que é que vais fazer na quarta semana?

Miguel: Fica para o Natal. Este ano vou fazer uma semana no inverno.

João: São mesmo umas férias diferentes do habitual. E vão para um apartamento no Porto Santo?

Miguel: Não, desta vez vamos ficar num hotel com pensão completa. A Leonor não vai precisar de cozinhar. Ela diz que nunca faz umas férias a sério quando ficamos num apartamento. Assim, vão ser umas férias mais tranquilas para todos. E tu? Para onde vais?

João: Ainda não sei bem, mas acho que vou passar duas semanas na praia com os meus pais, em Sesimbra, e depois vou a Praga.

Miguel: Hum! Também vai ser interessantíssimo. Mas vais sozinho a Praga?

João: Não, a Joana vai comigo. Bom, olha, tenho de ir para uma reunião. Desejo-te umas ótimas férias e depois eu telefono-te e combinamos qualquer coisa.

Miguel: Está ótimo. Umas boas férias para ti também. Adeus e beijinhos a todos lá em casa.

João: Adeus, Miguel!

2. Termine as frases com a opção mais adequada.

1. O João está a

    a. passar férias em Viseu.
    b. trabalhar em Viseu.
    c. telefonar de Lisboa.

2. O Miguel

    a. nunca vai de férias para o Algarve.
    b. este ano vai de férias para o Algarve.
    c. costuma ir de férias para o Algarve.

3. O Miguel

    a. habitualmente aluga um apartamento no Algarve.
    b. às vezes aluga um apartamento no Algarve.
    c. vai alugar um apartamento no Algarve.

4. Este ano, o Miguel

    a. vai passar quatro semanas de férias na praia.
    b. vai passar duas semanas de férias na praia.
    c. vai passar as férias no campo.

5. Este ano, o João

    a. vai fazer férias na praia.
    b. vai fazer férias na cidade.
    c. vai fazer férias na praia e na cidade.

6. Este ano, o Miguel vai ficar

    a. num apartamento.
    b. num hotel.
    c. num parque de campismo.

7. A praia de Porto Santo fica

    a. no Algarve.
    b. perto de Lisboa.
    c. perto da ilha da Madeira.

8. A estadia no hotel de Porto Santo inclui

    a. o pequeno-almoço, o almoço e o jantar.
    b. o pequeno-almoço e o almoço.
    c. o pequeno-almoço.

9. O Miguel vai de férias

    a. com a mulher e com os filhos.
    b. com a namorada.
    c. com os pais.

10. O Miguel

    a. vai ver o João antes das férias.
    b. vai ver o João depois das férias.
    c. este ano não vai ver o João.

Falar

3.

1. Diga algumas características da praia de Porto Santo.

2. O que acha que o Miguel e a família vão fazer durante as férias na praia de Porto Santo?

Algumas destas atividades são possíveis:

- visitar um museu;
- tomar banho;
- apanhar o autocarro;

- brincar com a areia;
- dar mergulhos;
- comer gelados;

- jogar à bola;
- ir às compras;
- apanhar sol.

Gramática: verbos irregulares no Presente do Indicativo

4. Complete o quadro.

	fazer	dizer	trazer
eu			
ele			

Agora faça frases com as formas verbais.

Eu *faço* _____
   digo _____
   trago _____

Ele *faz* _____
   diz _____
   traz _____

Gramática: grau comparativo

5. Siga o exemplo:

No verão, os dias são **mais** longos **do que** no inverno. (longo ≠ curto)
então
No inverno, os dias são **mais** curtos **do que** no verão.

1. A praia de Porto Santo é **maior do que** a praia de Sesimbra. (grande ≠ pequeno)
então
A praia de Sesimbra _____

2. Uma viagem para Porto Santo é **mais** cara **do que** para o Algarve. (caro ≠ barato)
então
Uma viagem para o Algarve _____

3. As férias no hotel são **melhores do que** num apartamento. (bom ≠ mau)
então
As férias num apartamento _____

4. A água na praia de Porto Santo é **mais** quente **do que** em Sesimbra. (quente ≠ frio)
então

A água em Sesimbra _____

5. Este ano o Miguel vai ter férias **mais** cedo **do que** o João. (cedo ≠ tarde)
então

Este ano o João _____

6. Responda às perguntas como no exemplo. Atenção às formas irregulares (*grande* / *enorme*; *bom* / *ótimo*; *mau* / *péssimo*; *fácil* / *facílimo*; *difícil* / *dificílimo*).

Exemplo

Achas que as minhas férias vão ser interessantes?
Vão ser interessant**íssimas.**

1. A praia é grande? _____

2. Esse hotel é caro? _____

3. A água é quente? _____

4. A piscina é boa? _____

5. A água é limpa? _____

6. A comida aqui é má? _____

7. É fácil encontrar um apartamento em Porto Santo? _____

8. Sesimbra é perto de Lisboa? _____

7.1. Relacione cada uma das frases da direita com a estação adequada.

No inverno	**a.** faz muito calor.
	b. neva muito.
	c. chove muito.
	d. há muitas flores.
Na primavera	**e.** os campos estão verdes.
	f. está muito frio.
	g. as folhas caem.
	h. as pessoas vestem roupas quentes.
No verão	**i.** está vento.
	j. as folhas das árvores ficam castanhas.
	l. o sol brilha.
	m. o céu está cinzento.
No outono	**n.** o céu está azul.
	o. as pessoas vestem roupas frescas.

Gramática: grau superlativo

Vocabulário: estações do ano

Falar

2. Qual é a sua estação do ano preferida? Porquê?

Como é o inverno no seu país?

Em que estação do ano estamos agora?

No verão está muito calor no seu país?

Vocabulário: meses do ano

3. Complete as frases com os meses do ano na ordem correta.

janeiro	é o *primeiro* mês do ano.
_____	é o *segundo* mês do ano.
_____	é o *terceiro* mês do ano.
_____	é o *quarto* mês do ano.
_____	é o *quinto* mês do ano.
_____	é o *sexto* mês do ano.
_____	é o *sétimo* mês do ano.
_____	é o *oitavo* mês do ano.
_____	é o *nono* mês do ano.
_____	é o *décimo* mês do ano.
_____	é o *décimo primeiro* mês do ano.
_____	é o *décimo segundo* mês do ano.

outubro / agosto

maio / setembro

março / fevereiro

novembro / julho

abril / dezembro

junho / janeiro

Vocabulário: meses do ano

4. Junte cada mês do ano com uma das afirmações da direita.

Em janeiro	**a.** estamos no fim da primavera.
Em fevereiro	**b.** chove muito.
Em março	**c.** as folhas caem.
Em abril	**d.** as pessoas vão à praia.
Em maio	**e.** os campos estão cheios de flores.
Em junho	**f.** começam as aulas.
Em julho	**g.** é o Natal.
Em agosto	**h.** é normalmente o Carnaval.
Em setembro	**i.** os dias são mais longos.
Em outubro	**j.** começa o novo ano.
Em novembro	**l.** o sol brilha e está calor.
Em dezembro	**m.** estamos no terceiro mês do ano.

5. Que dia é hoje?

Em que mês estamos?

Quais são as datas especiais / festivas que se celebram no seu país?

O que fazem nessas datas?

8. Complete com as formas dos verbos.

põe	pomos	pões
põem	ponho	

saem	sai	saio
	saímos	sais

pôr

Eu _____ a caneta dentro do estojo.

Tu _____ um casaco mais quente.

Ele _____ a mala no quarto.

Nós _____ a máquina fotográfica no saco.

Eles _____ a roupa na mala.

sair (cair)

Eu _____ com os meus amigos.

Tu _____ da escola às 18 horas.

Ele _____ de casa cedo.

Nós _____ de Cascais às 8 horas.

Eles _____ da camioneta para tomar café.

B. Férias e tempo livre

1. Leia o texto.

A escola secundária de Cascais vai organizar pela primeira vez uma viagem à serra da Estrela durante as próximas férias de Natal. Os alunos vão passar alguns dias na neve.
A serra da Estrela fica no norte de Portugal e é o único local no país onde se pode fazer esqui, porque no inverno neva muito naquela região. As pessoas que vivem em Lisboa e em muitas outras cidades, vilas e aldeias de Portugal nunca têm muitas possibilidades de ver neve. Então, muitos portugueses põem as suas roupas mais quentes e viajam até à serra da Estrela para uns dias diferentes: fazem esqui, fazem bonecos de neve ou atiram bolas de neve uns aos outros.
Os alunos da escola de Cascais vão viajar de camioneta e vão ficar num hotel que tem piscina interior. Vai ser divertido!

Vais para o Algarve?

2. Responda às seguintes perguntas sobre o texto:

1. A escola secundária de Cascais costuma organizar viagens à serra da Estrela nas férias de Natal?

   _____
   _____

2. O que é que os alunos podem fazer na serra da Estrela?

   _____
   _____

3. Como é que os alunos vão para a serra da Estrela?

   _____
   _____

4. É normal nevar em todo o país?

   _____
   _____

5. Porque é que as pessoas põem a sua roupa mais quente quando vão à serra da Estrela?

   _____
   _____

3. Utilize o seu dicionário e assinale quais as peças de vestuário e o calçado que os alunos *não* vão levar para a serra da Estrela.

• o cachecol	• as calças
• o fato de banho	• os sapatos
• o gorro	• os ténis
• os calções	• as calças de ganga
• a camisola de lã	• o biquíni
• a camisa	• o blusão
• as luvas	• o casaco
• as sandálias	• a saia
• a t-shirt	• a gabardina
• as botas	• o pijama
• as meias	• o vestido de manga curta

4. Faça perguntas sobre os objetos na aula ou sobre as peças de vestuário das pessoas da aula. *De que cor é / são... ?*

AS CORES

castanho   amarelo   preto   cinzento   vermelho   branco

azul   cor de rosa   verde   cor de laranja   roxo

5. Vire-se de costas para um colega seu e tente dizer o que ele tem vestido e as cores da roupa. Responda oralmente.

Imagine que estamos no mês de julho e que vai passar um fim de semana à praia de Sesimbra. O que vai levar para vestir ?

6.

1. Complete com as formas dos verbos ouvir, sair, dormir e pedir.

	ouvir	dormir	pedir	sair
eu				

Ao sábado eu _____ até mais tarde; à tarde _____ música e à noite _____ o carro ao meu pai e _____ com os meus amigos.

2. Responda às perguntas oralmente.

a. Ouve música no seu tempo livre?

b. Põe o seu carro na garagem?

c. Traz sempre o seu livro para a aula?

d. Faz sempre a cama de manhã?

e. Diz aos seus amigos para onde vai nas férias?

f. Pede dinheiro quando precisa?

g. Dorme até muito tarde nas férias?

h. Sai com a sua família ao fim de semana?

i. Prefere passar férias na praia?

j. Veste calções quando está calor?

l. Sabe nadar bem?

m. Lê o jornal todos os dias?

7.

1. O que fazem os portugueses no tempo livre?

Nos tempos livres, os portugueses gostam de sair com a família ou com os amigos. Ao fim de semana, à noite, os restaurantes e os bares estão sempre cheios. Ao jantar, todos gostam de passar um tempo agradável num restaurante com uma boa comida, enquanto conversam.

No verão, quando o tempo está bom e faz calor, a praia é um dos locais preferidos. Mas também há pessoas que preferem ir passear pelas vilas e aldeias.

2. O que faz você no seu tempo livre?

8. Atividades para o tempo livre ou para as férias.

1. Relacione cada figura com uma atividade.

jogar computador

nadar

apanhar sol

andar na montanha

pescar

ir ao restaurante

ver televisão

ir ao cinema

ler

ouvir música

visitar museus

correr

praticar desporto

conhecer novas cidades

pintar

cozinhar

esquiar

tratar do jardim

tirar fotografias

fazer campismo

2. **Quais são as atividades que gosta de fazer no seu tempo livre?**

3. **Quais são os planos para as suas próximas férias?**

4. **Quais são as atividades para o tempo livre mais populares no seu país?**

9. **Antes de ler os seguintes textos, ouça-os e responda às perguntas oralmente.**

Depois leia e escreva as respostas.

1.

A – Olá Marta! Já estás de férias?
B – Ainda não. Tenho férias em julho.
A – Para onde vais?
B – Vou para a casa dos meus avós, no norte de Portugal. A casa fica perto da praia e tem uma boa piscina. Posso nadar e apanhar sol.
A – Que bom! Boas férias!
B – Obrigada!

a. Quando é que a Marta tem férias?
_____

b. Para onde é que ela vai nas férias?
_____

c. Onde fica a casa dos avós da Marta?
_____

d. O que é que ela vai fazer nas férias?
_____

2.

Eu sou a Kate e sou inglesa, mas estou de férias em Lisboa. Vou conhecer a cidade e vou visitar Sintra e as praias perto de Lisboa. Também gosto muito de dançar. Por isso, à noite vou à discoteca com os meus amigos.

a. A Kate é portuguesa?
_____

b. Onde é que a Kate está de férias?
_____

c. O que é que ela vai fazer durante as férias?
_____

EXPRESSÕES

Adeus e beijinhos a todos lá em casa.
Boas férias!
Desejo-te umas ótimas férias.

Para onde é que vais nas férias?
Quando é que vais de férias?

C. Fonética

 A letra s pode ter diferentes sons.
Ouça as seguintes palavras com atenção e depois repita-as.

sapato / sol / sou / somos / salada / sopa / saia / sei / massa / musse / cassete / missa / assiste / consiste	casa / coisa / mesa / rosa / casal / caso / museu / casaco / vaso / camisa	castanhos / pasta / azuis / festa / lápis / dois / três / mostro / esqueço / visto / bebes / escuro / os / as

1 Presente do Indicativo – verbos irregulares

	fazer	**dizer**	**trazer**
eu	**faço**	**digo**	**trago**
tu	fazes	dizes	trazes
você/ela/ele	**faz**	**diz**	**traz**
nós	fazemos	dizemos	trazemos
vocês/elas/eles	fazem	dizem	trazem

	pedir	**ouvir**	**dormir**
eu	**peço**	**ouço**	**durmo**
tu	pedes	ouves	dormes
você/ela/ele	pede	ouve	dorme
nós	pedimos	ouvimos	dormimos
vocês/elas/eles	pedem	ouvem	dormem

	sair	**cair**	**pôr**
eu	**saio**	**caio**	**ponho**
tu	**sais**	**cais**	**pões**
você/ela/ele	**sai**	**cai**	**põe**
nós	**saímos**	**caímos**	**pomos**
vocês/elas/eles	**saem**	**caem**	**põem**

2 Possessivos

	Singular		Plural	
	masculino	**feminino**	**masculino**	**feminino**
eu	*o meu* livro	*a minha* casa	*os meus* livros	*as minhas* casas
tu	*o teu* amigo	*a tua* amiga	*os teus* amigos	*as tuas* amigas
você	*o seu* casaco	*a sua* camisa	*os seus* sapatos	*as suas* meias
ele	*o* colega *dele*	*a* colega *dele*	*os* colegas *dele*	*as* colegas *dele*
ela	*o* quarto *dela*	*a* sala *dela*	*os* sofás *dela*	*as* plantas *dela*
nós	*o nosso* escritório	*a nossa* sala	*os nossos* quartos	*as nossas* salas
vocês	*o vosso* jardim	*a vossa* piscina	*os vossos* carros	*as vossas* plantas
eles	*o* trabalho *deles*	*a* diretora *deles*	*os* trabalhos *deles*	*as* cadeiras *deles*
elas	*o* hotel *delas*	*a* viagem *delas*	*os* bilhetes *delas*	*as* malas *delas*

Apêndice Gramatical

3 Preposições de tempo

meses do ano:	em	**Em** janeiro está muito frio.

estações do ano:	em	**No** inverno os dias são curtos. **Na** primavera os campos estão verdes. **No** verão as praias estão cheias. **No** outono as folhas caem.

épocas festivas:	em	**No** Natal as pessoas oferecem presentes. **Na** Páscoa os alunos têm férias. **No** Carnaval há uma grande festa no Brasil.

4 Preposição _com_ + pronome pessoal

com + eu	**comigo**		com + nós	**connosco**
com + tu	**contigo**		com + vocês	com vocês
com + você	**consigo**		com + os senhores/as senhoras	**convosco**
com + ela	com ela		com + elas	com elas
com + ele	com ele		com + eles	com eles

5 Graus dos adjetivos

Comparativo de superioridade	
mais... (do) que...	O livro é **mais** interessante **do que** o filme.
Irregulares: **bom** **mau** **grande**	Exemplos: O teu quarto é **melhor do que** o meu. Esta sopa é **pior do que** a de ontem. A casa deles **é maior do que** a nossa.

Superlativo absoluto sintético	
muito caro = caríssimo	Este apartamento é **caríssimo**.
Irregulares: bom _____ **ótimo** mau _____ **péssimo** grande _____ **enorme** difícil _____ **dificílimo** fácil _____ **facílimo**	Este filme é **ótimo**. Este restaurante é **péssimo**. A tua casa é **enorme**. Este texto é **dificílimo**. As perguntas sobre o texto são **facílimas**.

Faça exercício!

- Fazer compras
- Perguntar preços
- Pedir artigos em lojas
- Ir ao médico
- Descrever pessoas
- Aconselhar e dar instruções
- Nos Correios / na Loja de Roupa / no Banco / na Farmácia
- No médico
- Especialidades médicas
- Sintomas
- A família
- Preços
- Telefone
- Descrições físicas e psicológicas
- Presente do Indicativo (verbos irregulares): *dar; doer*
- **"Podia ...?"**
- *precisar de / dever*
- Imperativo
- Demonstrativos
- *para / por*
- *z*

Ler e ouvir

A. Ir ao médico

1. Leia o diálogo antes de o ouvir.

No consultório:

– Boa tarde, Sra. Doutora.

– Boa tarde. Sente-se. Então, o que se passa?

– Olhe, Sra. Doutora, venho aqui porque me sinto muito cansado, doem-me as pernas e, às vezes, dói--me o peito. Eu acho que não é nada de especial, mas a minha mulher está sempre a dizer que tenho de consultar o médico e...

– E ela tem razão. Há quanto tempo é que não vem à consulta?

– Há mais de cinco anos, talvez...

– Bem, deixe-me auscultar e vamos medir a sua tensão arterial.

Algum tempo depois...

– A sua tensão está muito alta, Sr. Oliveira. E o seu coração precisa de um exame maior. Quanto é que o senhor pesa?

– Uns 90 Kg., acho eu.

– Pois é! O senhor está muito gordo. Precisa de emagrecer e principalmente de ter muito cuidado com o que come e com o que bebe. Bom, mas primeiro vai fazer estes exames. Faça estas análises e um eletrocardiograma. Temos de ver como está esse coração.

– Acha que posso ter algum problema de coração?

– Não sei. Temos de esperar pelos resultados do exame e das análises. Mas, entretanto, Sr. Oliveira, não coma gorduras nem doces, não beba bebidas alcoólicas e faça exercício: ande todos os dias um pouco a pé.

– Bem, eu ao domingo dou sempre um passeio a pé com a minha mulher.

– Mas não pode ser só ao domingo. Tem de andar a pé mais vezes.

2. Responda e faça perguntas sobre o diálogo.

1. O Sr. Oliveira vai ao médico de manhã?

_____ .

2. Quais são os sintomas do Sr. Oliveira?

_____ .

3. _____ .

Há mais de cinco anos.

Compreensão do diálogo

4. _____.

Primeiro, a médica ausculta o Sr. Oliveira e mede-lhe a tensão arterial.

5. A médica acha que o Sr. Oliveira tem um bom peso?

_____.

6. Quais são os exames que o Sr. Oliveira tem de fazer?

_____.

7. Quais são os cuidados que o Sr. Oliveira deve ter?

_____.

3. Siga o exemplo e preencha os espaços com a indicação correta.

Vocabulário: especialidades médicas

> oftalmologista / cardiologista / ortopedista / ginecologista / dentista
> pediatra / **otorrinolaringologista** / dermatologista / neurologista

Otorrinolaringologista	é o médico que trata as doenças relacionadas com ouvidos, nariz e garganta.
_____	é o médico que trata das crianças.
_____	é o médico que trata as doenças que se relacionam com o sistema nervoso.
_____	é o médico que trata das doenças específicas das senhoras.
_____	é o médico que trata dos olhos.
_____	é o médico que trata dos dentes.
_____	é o médico que trata das doenças relacionadas com os ossos.
_____	é o médico que trata das doenças da pele.
_____	é o médico que trata das doenças do coração.

4.

1. Repare no verbo *doer* no diálogo.

> ... **doem**-me as pernas.
> ... **dói**-me o peito.

Gramática: *doer* no Presente do Indicativo

Agora complete com o verbo *doer*:

_____-me o pé direito.	_____-me as pernas.
_____-lhe os ouvidos?	_____-nos os dentes.
_____-te a cabeça?	_____-lhe a garganta?

Gramática: verbo dar

2. Complete as frases com as formas do verbo dar: *dão, dou, dá, dás, damos*.

Presente do Indicativo
dar

eu	_____	um passeio a pé.
tu	_____	a sopa ao teu filho.
ela	_____	erros no ditado.
nós	_____	uma festa amanhã.
eles	_____	um passeio de bicicleta.

Gramática: forma imperativa

5. Repare como se forma o *Imperativo* dos verbos.

Presente do Indicativo (1.ª pessoa do singular)	Imperativo		
	tu (neg.)	**você**	**vocês**
-ar → eu fal~~o~~	Não fal**es**!	Fal**e**!	Fal**em**!
-er → eu com~~o~~	Não com**as**!	Com**a**!	Com**am**!
-ir → eu abr~~o~~	Não abr**as**!	Abr**a**!	Abr**am**!

1. Agora complete:

Infinitivo	Presente do Indicativo	Imperativo
pag**ar**	eu _____	(você) _____
and**ar**	eu _____	_____
traz**er**	eu _____	_____
faz**er**	eu _____	_____
compreend**er**	eu _____	_____
diz**er**	eu _____	_____
v**er**	eu _____	_____
l**er**	eu _____	_____
vest**ir**	eu _____	_____
v**ir**	eu _____	_____
pôr (= **er** / **-ir**)	eu _____	_____
ouv**ir**	eu _____	_____
dorm**ir**	eu _____	_____
t**er**	eu _____	_____

Gramática: completar folheto com forma imperativa

2. No final da consulta do Sr. Oliveira, o médico dá-lhe um folheto com alguns conselhos para proteger o coração. Mas neste folheto faltam os verbos. Complete os conselhos do folheto, conjugando os verbos na *forma imperativa (você)*.

POR UM CORAÇÃO SAUDÁVEL

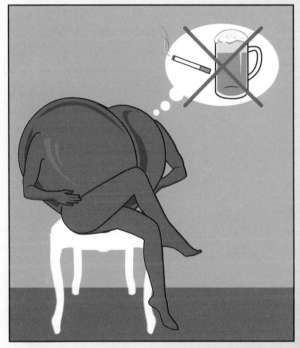

(Andar) _____ mais a pé. O seu coração precisa de exercício. Não *(correr)* _____, mas *(caminhar)* _____ todos os dias um pouco. Não *(fumar)* _____, nem *(comer)* _____ gorduras. Não *(beber)* _____ bebidas alcoólicas.

(Fazer) _____ exercício. *(Andar)* _____ de bicicleta. *(Nadar)* _____, *(dançar)* _____ e *(subir)* _____ e *(descer)* _____ escadas. *(Fazer)* _____ exercício, mas com cuidado e moderação. Não *(ter)* _____ stress, nem *(engordar)* _____.

(Ter) _____ cuidado com a sua saúde. *(Procurar)* _____ umas férias tranquilas. *(Respirar)* _____ o ar puro do campo e *(fazer)* _____ exames médicos periódicos.

3. Agora complete o quadro como o exemplo.

Gramática: forma imperativa de *tu* (afirmativa)

Infinitivo	Presente do Indicativo (ele)	Imperativo tu (afirmativo) = 3.ª pessoa do singular Pres. Ind.
falar	Ele fala.	(tu) Fala!
comer	_____	_____
beber	_____	_____
pôr	_____	_____
trazer	_____	_____
fazer	_____	_____
dizer	_____	_____
vestir	_____	_____
jogar	_____	_____
treinar	_____	_____
ver	_____	_____
ler	_____	_____
ir	_____	_____
dormir	_____	_____
sair	_____	_____
pedir	_____	_____

Usar a forma imperativa

6. Vamos usar a *forma imperativa*.

1. Agora imagine que está a falar com um amigo seu que tem problemas de coração. Leia-lhe os conselhos do folheto sobre um coração saudável, mas use a forma "tu".

2. Procure agora as formas de *Imperativo* no diálogo entre o médico e o Sr. Oliveira no consultório e sublinhe-as.

3. Agora imagine os conselhos que a mulher do Sr. Oliveira lhe vai dar depois da consulta.

7. Coloque o vocabulário dos quadros nos locais corretos do corpo e da cabeça.

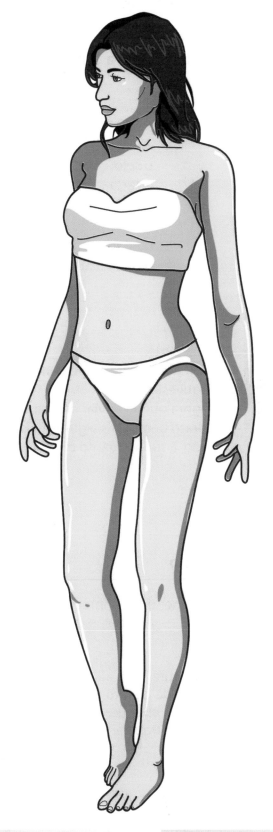

| olho   nariz   orelha   cabelo |
| testa   boca   dentes   sobrancelha |
| cara   queixo |

| pescoço   ombros   braço   mão   dedos |
| pé   perna   cotovelo   barriga   peito |
| costas   joelho   estômago |

Faça exercício!

B. Vamos às compras

1. Ouça e leia os seguintes diálogos.
Utilize o vocabulário dos quadros para simular novos diálogos.

 ### 1. Nos correios

 ### Vocabulário

o selo	por avião
a carta	enviar
o envelope	levantar
a encomenda	carta registada
correio normal	cartão para telefonar
correio azul	enviar um fax

– Boa tarde.
– Boa tarde. Olhe, queria um selo para os Estados Unidos.
– Aqui está.
– Agora queria enviar esta carta em correio azul.
– Muito bem. Mais alguma coisa?
– Não. É tudo. Quanto é?

 ### 2. No banco

 ### Vocabulário

abrir uma conta - à ordem	preencher um - impresso
- a prazo	- talão de depósito
levantar ≠ depositar	assinar
- um cheque	a assinatura
- dinheiro	o cartão de crédito
	passar um cheque
trocar dinheiro	fazer uma transferência
cambiar dinheiro	

– Muito bom dia. Faça o favor de dizer.
– Bom dia. Queria abrir uma conta à ordem, por favor.
– Com certeza. Tem o seu cartão de cidadão?
– Sim, tenho. Está aqui.
– Então, preencha este impresso e depois assine aqui em baixo, se não se importa.

3. Na loja de roupa

Vocabulário

o gabinete de provas	trocar
experimentar	o tamanho / o número
arranjar	Posso ver?
fazer as bainhas	Posso experimentar?
encurtar as mangas	tecido de algodão / de lã

– Boa tarde. Posso ajudar?

– Sim, queria umas calças destas, mas azuis.

– Qual é o seu número?

– É o 38.

– 38… Ah! Aqui tem estas.

– Quanto custam essas?

– Deixe-me ver. Sim, está aqui o preço. São 62 euros.

– E aquelas ali?

– Aquelas são mais baratas.

– Então, posso experimentar as duas?

– Com certeza. Pode experimentar naquele gabinete ali à direita.

2. Ouça os seguintes diálogos antes de os ler e diga onde se passam.

Diálogo 1	**a)** Na farmácia
Diálogo 2	**b)** Na loja de roupa
Diálogo 3	**c)** No banco
Diálogo 4	**d)** Nos correios
Diálogo 5	**e)** No hotel
Diálogo 6	**f)** Na papelaria

Compreensão oral

Diálogo 1

– Boa tarde. Faça favor.

– Boa tarde. Olhe, queria um quarto para uma noite.

– De casal ou individual?

– De casal e com pequeno--almoço incluído.

– Com certeza. Ficam no quarto n.º 504, no 5.º andar. Aqui tem a chave.

Diálogo 2

– Bom dia.

– Bom dia.

– Queria uma borracha e um lápis n.º 3, por favor.

– É tudo?

– Sim. Ah, não. Também queria esta revista. Quanto é tudo?

Diálogo 3

– Boa tarde. Queria levantar este cheque.

– Tem o seu cartão de cidadão?

– Sim. Aqui está.

– Obrigado.

Diálogo 4

– Bom dia.
– Bom dia. Tem uma camisa igual a esta, mas cor de rosa?
– Qual é o tamanho?
– O médio.
– Não, em cor de rosa já não temos. Só em azul.
– Humm… não. Em azul não quero. Bem, obrigada e bom dia.
– Obrigada eu.

Diálogo 5

– Boa tarde.
– Boa tarde. Queria uma caixa de aspirinas e umas pastilhas para a tosse, por favor.
– Mais alguma coisa?
– Não, é tudo. Quanto é?

Diálogo 6

– Bom dia.
– Bom dia.
– Queria levantar esta encomenda.
– Tem o seu cartão de cidadão?
– Sim. Aqui tem. Queria também um selo para a Europa.

3. A FAMÍLIA

A família e as relações familiares são muito importantes para os portugueses.

Vocabulário: a família

o avô	o neto	o pai	o filho	o primo	a cunhada
a avó	a mãe	a filha	a prima	a tia	a sogra
a mulher	a neta	o irmão	a nora	a irmã	o marido
o genro	o sobrinho	o tio	o cunhado	o sogro	a sobrinha

Complete as frases com os parentescos.

O Sr. António é _____ da Isabel e da Paula.
A D. Glória é _____ da Isabel e da Paula.
O Sr. António é _____ da Susana, do Mário e do Rui.
A D. Glória é _____ da Susana, do Mário e do Rui.
A Paula é _____ do Artur.
O José é _____ da Isabel.
A Paula e o Artur são _____ do Rui.
O José e a Isabel são _____ do Rui.
O Sr. António e a D. Glória são _____ do Rui, da Susana e do Mário.
O Rui, o Mário e a Susana são _____ do Sr. António e da D. Glória.
O Rui é _____ da Susana e do Mário.
A Susana e o Mário são _____ da Paula e do Artur.
O José é _____ da Paula.
O Sr. António é _____ do José e do Artur.
O Artur e o José são _____ do Sr. António e da D. Glória.
A Susana é _____ do Mário.

4. DESCRIÇÕES FÍSICAS

Vocabulário: descrição física

Descrições físicas

ter cabelo	louro	ter	barba	ter	franja	
	escuro		bigode		risca	ao meio
	ruivo					ao lado
	castanho					
	branco					
	grisalho					

ter cabelo	liso	ser	careca	ser	magro
	ondulado				gordo
	encaracolado				alto
					baixo
ter cabelo	curto	usar	óculos		velho
	comprido				novo

Falar

1. Selecione uma personagem da imagem. Escreva o nome dela e descreva-a para ver se os seus colegas descobrem qual é.

2. Selecione uma personagem da imagem e escreva o nome dela. Agora são os seus colegas que lhe fazem perguntas sobre as características físicas e sobre o que está a fazer. Você só pode responder com *sim* ou *não*.

5. DESCRIÇÃO DE CARÁCTER

Vocabulário: descrição do carácter

Descrição de carácter

ser	organizado	tímido	gastador
	trabalhador	introvertido	poupado
	desarrumado	extrovertido	indeciso
	teimoso	comunicativo	ativo
	simpático	sociável	decidido
	antipático	falador	indolente
	arrogante	calado	calmo

Falar

Agora descreva uma pessoa da sua família ou um amigo seu.
Não se esqueça de referir os seguintes aspetos:
a) nome, profissão, idade;
b) características físicas;
c) características de carácter;
d) passatempos e preferências.

6. Tome atenção às seguintes frases com *para* e *por*.

para	por
1. Este autocarro vai **para** o Porto.	**1.** Este autocarro passa **pela** minha rua.
2. Toma! Este livro é **para** ti.	**2.** Fico em Lisboa **por** duas semanas.
3. Eu estou em Portugal **para** aprender português.	**3.** Vendo-te a minha bicicleta **por** 150 euros.
4. **Para** quando é que precisa do carro pronto?	**4.** Ela hoje não vem à reunião **por** estar doente.
5. **Para** mim, esta camisola é mais bonita.	**5.** Amanhã só devo chegar **pelas** 10 horas.

Faça mais frases com as duas preposições.

_____
_____
_____
_____
_____
_____
_____
_____

EXPRESSÕES

Então, o que se passa?   Posso ajudar?
Ela tem razão.   Quanto custam?
Pois é!   Mais alguma coisa?
Acha que…?   É tudo?
Não sei.   Quanto é tudo?
Posso ver?   Qual é o tamanho?
Posso experimentar?   As melhoras!

C. Fonética

 A letra z pode ter dois sons diferentes. Ouça as seguintes palavras e repita-as.

zona / fazem / dizem / zangado / dizemos / zebra / fazemos / trazemos	faz / traz / rapaz / capaz / diz / satisfaz / cartaz / vez / voz / nariz

Apêndice Gramatical

1 Presente do Indicativo – verbos irregulares

	dar
eu	*dou*
tu	*dás*
você/ela/ele	*dá*
nós	*damos*
vocês/elas/eles	*dão*

doer	
dói	*Dói*-me a cabeça
doem	*Doem*-lhe os dentes

2 Imperativo – verbos regulares

Usa-se para *ordens, pedidos* ou *instruções*.

Presente do Indicativo (1.ª pessoa do singular)	IMPERATIVO		
	tu (neg.)	você	vocês
-ar → eu falo	Não fal**es**!	Fal**e**!	Fal**em**!
-er → eu como	Não com**as**!	Com**a**!	Com**am**!
-ir → eu abro	Não abr**as**!	Abr**a**!	Abr**am**!

Presente do Indicativo (3.ª pessoa do singular)	IMPERATIVO
	tu (afirmativo)
-ar → ela/ele fal**a**	Fal**a**!
-er → ela/ele com**e**	Com**e**!
-ir → ela/ele abr**e**	Abr**e**!

3 Demonstrativos – variáveis

	Singular		Plural	
	masculino	feminino	masculino	feminino
aqui	este	esta	estes	estas
aí	esse	essa	esses	essas
ali	aquele	aquela	aqueles	aquelas

4 precisar de / dever

precisar de	. necessidade	**Preciso de ir** ao supermercado.
dever	. obrigação moral	**Devemos** ajudar os outros.
	. conselhos	**Deves** comer mais fruta.
	. probabilidade	Hoje não **deve** chover.
	. dívidas	**Devo** algum dinheiro ao meu pai.

5 para / por

para	por
. direção/ destino Este autocarro vai **para** o Porto.	**. caminho** Este autocarro passa **pela** minha casa.
. objetivo Eu estou em Portugal **para** aprender português.	**. motivo/justificação** Ela não vem à reunião **por** estar doente.
. data limite **Para** quando é que precisa do carro pronto?	**. período de tempo** Fico em Lisboa **por** duas semanas.
. opinião **Para** mim, esta camisola é mais bonita.	**. tempo aproximado** Amanhã devo chegar **pelas** 10 horas.
	. troca/ dinheiro Vendo-te a minha bicicleta **por** 150 euros.

Unidade de Revisão 2

1. Complete as frases com os verbos: <u>saber</u>, <u>poder</u>, <u>conseguir</u> e <u>conhecer</u>.

1. Eu _____ a cidade do Porto muito bem.

2. Hoje à noite eu não _____ sair, porque tenho de preparar um relatório para amanhã.

3. Desculpe, mas o senhor não _____ estacionar aqui. É proibido.

4. – (Tu) _____ andar de bicicleta?

   – _____, mas não _____ andar durante 1 hora como tu.

5. Desculpe, _____ dizer-me as horas, por favor?

6. Nós ainda não _____ compreender o noticiário na televisão.

7. – _____ sentar-me nesta cadeira?

   – Claro. Sente-se.

8. Nós ainda não _____ a nova professora de português.

9. – Ela _____ nadar muito bem. Não achas?

   – Acho. Com mais treino, acho que ela vai _____ ir aos Jogos Olímpicos.

10. (Tu) _____ algum livro sobre o vinho português ?

2. Responda às perguntas, utilizando os <u>possessivos</u> e os <u>demonstrativos</u> adequados.

Exemplo

> – De quem é essa cerveja? (eu)
> – *Esta* cerveja é *minha.*

1. De quem são estes óculos? (eu)

   _____

2. De quem é esse cartão? (ele)

   _____

3. De quem é aquela garrafa de vinho? (vocês)

   _____

4. De quem são estes impressos? (o senhor)

   _____

5. De quem é esta cadeira? (tu)

   _____

6. De quem é aquele carro? (eles)

_____

7. De quem são essas revistas? (eu)

_____

3. Selecione a resposta adequada para cada pergunta.

1. Então como se sente?

2. Faça o favor de dizer.

3. Como é a tua diretora?

4. Bom dia, queria abrir uma conta à ordem.

5. Os sapatos naquela sapataria são caros?

6. Qual é o empregado desta mesa?

7. Queria uma camisola destas, mas não tem uma maior?

8. Deseja mais alguma coisa?

9. Logo não posso ir com vocês ao cinema.

10. Vou almoçar. Volto às 14 horas.

a. Então, até logo.

b. É muito simpática.

c. Não, é tudo.

d. Olhe, queria este jornal e aquela revista.

e. Não, não tenho.

f. Que pena!

g. Com certeza. Pode preencher este impresso, por favor?

h. Estou melhor, obrigado.

i. É aquele ali, baixo e louro.

j. Não, são baratos.

4. Junte A + B e forme frases.

A	B
1. No inverno	**a.** há muito tempo.
2. Quando está frio,	**b.** é mais quente do que na Inglaterra.
3. O verão em Portugal	**c.** vou estudar para a Alemanha.
4. No próximo mês de setembro	**d.** já está ocupada?
5. Ao fim de semana	**e.** chove muito.
6. Esta mesa	**f.** duas bicas, por favor.
7. Queria	**g.** jogo sempre ténis com a minha colega.
8. Eu já estudo português	**h.** conta, por favor.
9. Traga-me a	**i.** visto sempre roupa quente.

5. **Faça perguntas sobre as partes sublinhadas.**

1. No sábado ele vai à praia com os colegas.
   a) _____ ?
   b) _____ ?
   c) _____ ?

2. Ela mora no Porto há 3 anos e meio.
   a) _____ ?
   b) _____ ?

3. Os empregados da livraria estão a arrumar os livros nas prateleiras.
   a) _____ ?
   b) _____ ?
   c) _____ ?

4. Nós vamos para a escola todos os dias de bicicleta.
   a) _____ ?
   b) _____ ?
   c) _____ ?

5. Dói-me a cabeça.
   a) _____ ?

6. No Natal os meus tios dão-me sempre um livro.
   a) _____ ?
   b) _____ ?

6. **Siga o exemplo.**

Exemplo

> Esta camisola é muito cara.
> Não tem outra *mais barata?*

1. Estas calças são muito pequenas.
   Não tem _____ ?

2. Este artigo é muito difícil de compreender.
   Não tem _____ ?

3. Dizem que este filme é muito mau.
   Não queres ir ver _____ ?

4. Este quarto é muito escuro?
   Não tem _____ ?

5. Essa praia é muito longe.
   Não queres ir para _____ ?

7. Escreva uma palavra ou expressão <u>equivalente</u>.

tomar uma bica   =   _____

muito difícil   =   _____

muito grande   =   _____

morar   =   _____

estou com (frio)   =   _____

muito bom   =   _____

muito mau   =   _____

regressar   =   _____

8. Escreva a palavra <u>contrária</u> e faça uma frase.

abrir   ≠   _____   _____

sujar   ≠   _____   _____

ir   ≠   _____   _____

sair   ≠   _____   _____

levar   ≠   _____   _____

empurrar   ≠   _____   _____

9. Complete o quadro.

Verbo	Substantivo	Adjetivo
		descansado
		trabalhador
	a limpeza	
		compreensível
		chuvoso
	a arrumação	
engordar		
diferençar		
		cozinhado

10. Com cada um destes verbos, uma das expressões <u>não</u> pode ser usada. Assinale-a.

1. tomar
- um duche
- uma sandes
- uma bica
- um comprimido

5. tirar
- fotografias
- os óculos
- o avião
- o casaco

2. abrir
- a porta
- uma conta
- a janela
- os óculos

6. apanhar
- gripe
- o metro
- fruta
- a porta

3. ver
- um espetáculo
- televisão
- uma música
- um filme

7. pôr
- o chapéu de chuva
- o cachecol
- os óculos
- o casaco

4 fazer
- exercício
- pesca
- ginástica
- campismo

Sigam as instruções!

- Aconselhar
- Indicar direções
- Reconhecer instruções
- Seguir um mapa
- Descrever uma cidade
- Instruções
- Publicidade
- Indicação de direções
- Imperativo (verbos irregulares)
- Indefinidos
- Preposições + pronomes
- *g*

Sigam as instruções!

A. Aconselhar

1. O Joseph é um inglês que está em Lisboa a estudar português e cultura portuguesa. Hoje é sexta-feira e ele está a falar com um amigo português perto da escola.

Joseph:	Ufa! Ainda bem que hoje é sexta-feira.
Amigo:	É verdade! Então, o que vais fazer no próximo fim de semana?
Joseph:	Olha, hoje ao fim da tarde chega um amigo meu inglês que vem passar uns dias comigo e estou a pensar em ir com ele a Évora no fim de semana. O que é que achas?
Amigo:	Acho uma ótima ideia. Évora é uma cidade muito bonita e interessante. Tenho a certeza de que vocês vão gostar.
Joseph:	Não queres vir connosco?
Amigo:	Não posso. Vocês têm de ir sem mim. Tenho um trabalho para fazer.
Joseph:	Que pena! Olha, como é que achas que devemos ir? De camioneta?
Amigo:	Não. Aluguem um carro e vão pela autoestrada.
Joseph:	Autoestrada? Há uma autoestrada para Évora?
Amigo:	Sim. Saiam cedo de Lisboa e vão pela ponte Vasco da Gama. Acho que o teu amigo vai gostar.
Joseph:	Sim, é uma ponte muito bonita! E depois? Não é complicado orientar-me?
Amigo:	Claro que não! Segues as indicações. Não penses que te vais perder. Saiam é cedo de casa e estejam em Évora antes das 10h porque têm de aproveitar bem o fim de semana.
Joseph:	E o que é que eu devo visitar em Évora?
Amigo:	Olha, em Évora vai a um posto de turismo e pede o mapa da cidade. Vocês têm lá muitas coisas para visitar. Logo à noite eu telefono-te e dou-te a morada de um hotel onde costumo ficar quando lá vou: é limpo, central e não é caro.
Joseph:	Ótimo!
Amigo:	Olha! Agora estou é cheio de fome. Não queres vir almoçar? Falamos durante o almoço.
Joseph:	Vamos embora!

Compreensão do texto: ordenar frases

2. Numere as seguintes frases, colocando-as na ordem correta, de modo a ficar com um resumo do texto.

___ Ele está a pensar em ir a Évora.

___ Vão pela ponte Vasco da Gama e depois pela autoestrada.

___ Hoje é sexta-feira e um amigo inglês vem passar uns dias com ele.

___ O amigo também acha que Évora é uma cidade bonita.

___ O Joseph é inglês, mas está a estudar em Lisboa.

___ Ele e o amigo vão alugar um carro.

___ Eles vão ficar num hotel que o amigo dele conhece.

___ Eles têm de chegar cedo a Évora e lá vão a um posto de turismo para pedir um mapa da cidade.

Compreensão do texto: fazer perguntas

3. Faça perguntas para as seguintes respostas.

1. _____?

Hoje é sexta-feira.

2. _____?

O Joseph vai a Évora com um amigo.

3. _____?

Vão sair de Lisboa no sábado bem cedo.

4. _____?

Vão no próximo fim de semana.

5. _____?

Não, vão de carro.

6. _____?

Eles vão pela autoestrada.

Gramática: Imperativo (verbos irregulares)

4. Complete o quadro.

	Imperativo Verbos irregulares		
	tu (negativa)	**você**	**vocês**
ser	não	seja	
estar	não estejas		
ir	não	vá	
dar	não		deem

5.

1. Imagine que um colega seu vai a Évora. Dê-lhe alguns conselhos, usando a *forma imperativa (tu)* dos seguintes verbos:

a. Levantar-se cedo.

_____!

b. Fazer a viagem de manhã cedo.

_____!

c. Beber vinho alentejano.

_____!

d. Provar comida alentejana.

_____!

e. Visitar a Igreja das Mercês.

_____!

f. Ver o Templo de Diana.

_____!

g. Dar um passeio a pé.

_____!

h. Trazer uma garrafa de vinho.

_____!

i. Estacionar o carro no parque.

_____!

j. Ir visitar a Universidade.

_____!

2. Agora dê os mesmos conselhos a outra pessoa, usando a *forma imperativa* de *você*.

6. **Transforme as seguintes perguntas em pedidos. Siga o exemplo.**

Exemplo

– Dás-me uma garrafa de água?
– **Dá**-me uma garrafa de água, por favor.

1. Dizes-me as horas?
_____

2. Telefona ao seu amigo?
_____

3. Traz-me uma coca-cola?
_____

4. Pedem-lhe as informações?
_____

5. Pões-me água no copo?
_____

6. Levas-lhes o mapa?
_____

7. Perguntas o caminho àquele senhor?
_____

8. Mostras-me a cidade?
_____

9. Fazes-me um favor?
_____

10. Estão à porta da minha casa cedo?
_____

11. Dás o teu mapa ao Joseph?
_____

12. Vão buscar-me às oito horas?
_____

B. Direções e Instruções

1. Mapa do Metro de Lisboa

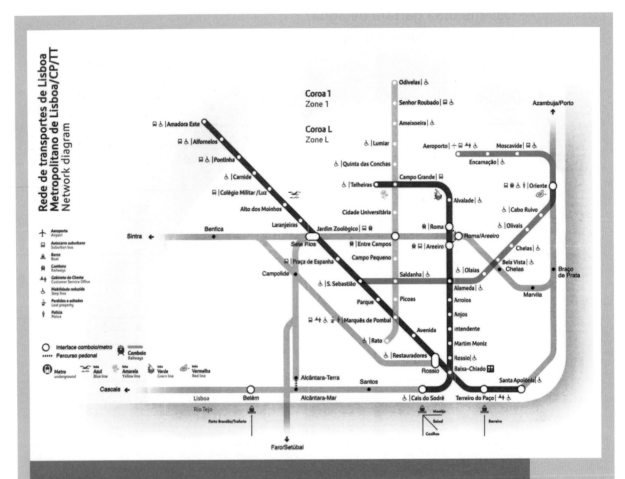

Este é o mapa do **Metropolitano de Lisboa**. Como vê, existem 4 linhas assinaladas com cores diferentes.

O ano de 1998 foi muito importante para Lisboa e para os portugueses em geral: foi o ano da *Expo 98*. Desde então, muitos portugueses e estrangeiros vão ao local da Expo 98, que agora se chama **Parque das Nações**. As pessoas que vão de metro têm de sair na **estação do Oriente**. O Parque das Nações tem um Oceanário onde se podem ver as espécies marinhas que vivem nos cinco oceanos.

Também pode ir assistir a um concerto ou a um acontecimento desportivo no Pavilhão Atlântico ou na Praça Sony.

Mas também, se prefere, pode apenas passear pelas avenidas e pelos jardins, ao longo do rio Tejo, e apreciar a paisagem com a Ponte Vasco da Gama e a sua arquitetura muito especial ou fazer compras no enorme Centro Comercial que também tem o nome do navegador português.

Ler

2.

Falar: indicar direções

1. Imagine que está na estação de metro do Saldanha e alguém lhe pergunta como deve ir para o Parque das Nações.

Indique-lhe como ir para a estação do Oriente. Pode usar os verbos: *apanhar, mudar, sair.*

– "Desculpe, eu queria ir para o Parque das Nações. Sabe como é que se vai para lá?"
– "Olhe, para o Parque das Nações o senhor tem de sair na estação do Oriente.
Então, _____

_____

_____

_____

_____

**2. Agora imagine que está no Rossio e precisa de ir para o Campo Grande.
Quantas vezes tem de mudar de metro?**

Sigam as instruções!

3. Mapa de Lisboa

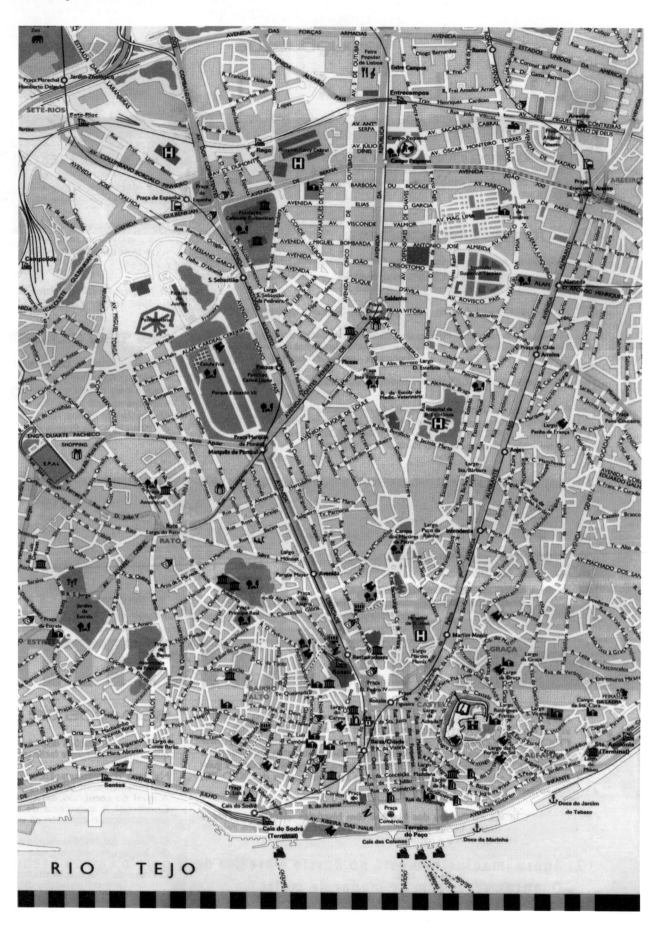

A Fundação Calouste Gulbenkian fica na praça de Espanha, em Lisboa. A fundação tem um lindo jardim, uma exposição permanente de arte antiga e um Centro de Arte Moderna, uma sala para congressos e conferências, uma companhia de bailado e uma orquestra. Além disso, tem dois restaurantes/cafetarias muito agradáveis com grandes janelas para os jardins.

Direções

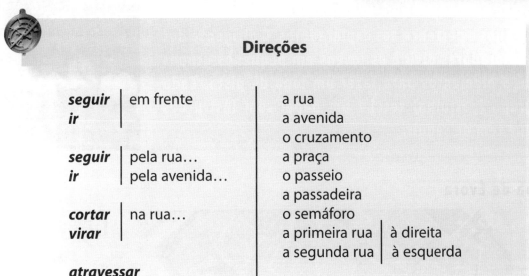

seguir *ir*	em frente	a rua a avenida o cruzamento
seguir *ir*	pela rua… pela avenida…	a praça o passeio a passadeira
cortar *virar*	na rua…	o semáforo a primeira rua | à direita a segunda rua | à esquerda
atravessar		

Falar: indicar direções

1. **Agora olhe para o mapa da cidade de Lisboa. Imagine que você encontra uma pessoa na Praça Marquês de Pombal que lhe pergunta o caminho para a Fundação Calouste Gulbenkian. Dê-lhe as instruções sobre o melhor caminho, utilizando a *forma imperativa* de *você*.**

– **Sr. X:** "Desculpe, podia dizer-me onde fica a Fundação Calouste Gulbenkian?"
– **Você:** "Com certeza. Olhe,

_____

_____

_____

_____

_____ "

2. **Agora imagine outras localizações e direções.**

Ler

4.

Évora é uma cidade de origem romana que mais tarde foi ocupada durante 5 séculos por muçulmanos. Podemos, ainda hoje, encontrar as influências destas duas culturas.

No centro da cidade de Évora, que se encontra rodeado por muralhas romanas, há várias igrejas e monumentos para visitar.

O João é um escuteiro de Lisboa. Este fim de semana estão a acampar num local perto de Évora. Ele tem 11 anos e pertence aos exploradores. O dirigente dos exploradores divide os jovens em pequenos grupos de 5 elementos para fazer um jogo de pista. Cada grupo (patrulha) recebe um papel com instruções que tem de seguir.

Mapa de Évora

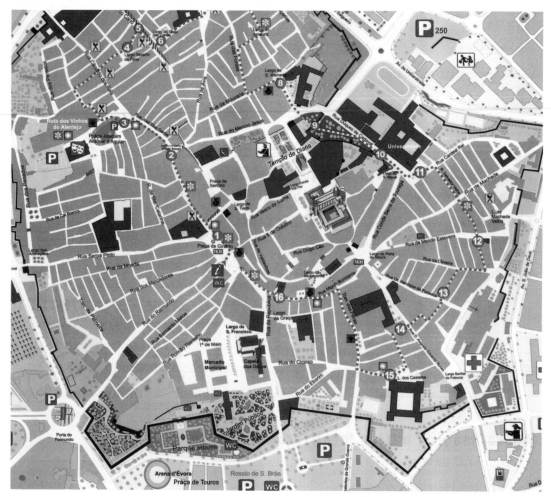

1. Estas são as instruções que o João, que é o guia do seu grupo, tem nas mãos. Leia as instruções e sublinhe as *formas verbais* no *Imperativo*.

- *Vão até à Praça de Touros.*
- *Entrem na cidade pela Rua da República que passa pelo jardim.*
- *Vão ao jardim e apanhem uma pedra do chão.*
- *Sigam em frente e cortem à esquerda.*
- *Vão por essa rua sempre em frente.*
- *Estão na praça do Giraldo? Então vão ao café "Arcada".*
- *Peçam uma coca-cola de lata e tragam a lata.*
- *Virem à direita na rua que tem o nome da data do fim da monarquia em Portugal.*
- *Nessa rua, procurem uma porta que tem um ramo de flores nos degraus.*
- *Tirem uma flor e tragam a flor convosco.*
- *Virem à esquerda.*
- *Estão na rua que tem o nome do homem que descobriu o caminho marítimo para a Índia? Então, estão no caminho certo. Aí, vão encontrar um senhor com postais de Évora. Peçam-lhe um.*
- *Agora virem à esquerda, olhem em frente e procurem umas ruínas de um monumento muito, muito antigo.*

a. Trace o caminho que o João e os colegas têm de fazer.

b. Quantas vezes é que eles têm de parar?

c. Quantos objetos é que eles têm de levar com eles? Quais?

d. Qual é o ponto de chegada?

2. Agora pense num local de partida e num de chegada e indique o caminho a um colega ou ao professor. No final, confirme se ele chega ao local correto.

5. *Descreva* a sua cidade. Não se esqueça de referir:
- quantos habitantes tem;
- como são as casas típicas;
- se tem monumentos, jardins;…

6. Imagine que um colega vai visitar a sua cidade. Dê-lhe alguns conselhos, usando a *forma imperativa*. Refira:
- a melhor época para visitar a cidade;
- locais a visitar;
- que roupa deve levar;
- onde e o que deve comer.

Sigam as instruções!

7. **As frases abaixo pertencem a <u>anúncios</u> de <u>publicidade</u>.**
O que é que acha que eles estão a anunciar?

companhia de telefone / banco: crédito à habitação / ginásio
compras pela internet / companhia aérea / cartão de crédito
turismo nacional / marca de automóvel

1. Prepare o corpo para o verão. Parta à conquista dos músculos.

2. Descubra a sensação de conduzir na mais perfeita e completa liberdade.

3. Vá às compras com o seu novo cartão e ganhe muitos pontos.

4. Conquiste esta taxa e pague menos pela sua nova casa.

5. Vai de férias? Vá para fora cá dentro.

6. Viaje em segurança. Prefira a nossa companhia.

7. Poupe tempo e dinheiro nas suas deslocações. Não vá.

8. Faça as suas compras em *direct shop* e navegue grátis durante 1 ano.

EXPRESSÕES

Ainda bem.
É verdade!
Acho uma ótima ideia.
E depois?
Claro que não!

Ótimo!
Vamos embora!
Saiam é cedo de casa.
Agora estou é cheio de fome.
Desculpe, podia dizer-me onde fica...

C. Fonética

**A letra g tem diferentes leituras, que obrigam a certas regras de escrita.
Leia, por favor:**

ga	ge
gue	gi
gui	
go	
gu	

Ouça as seguintes palavras e repita-as.

A
garrafa
gato
pagar
pague
guerra
seguintes
guitarra
guiar
gorro
gosto
agora
aguentar
guarda
guardar

B
gesto
gentil
agenda
agir
reagir
girar
registo
agendar
agente

Apêndice Gramatical

1 Imperativo – verbos irregulares

Usa-se para *ordens*, *pedidos* ou *instruções*.

IMPERATIVO			
Verbos irregulares			
	tu (negativa)	**você**	**vocês**
ser	*não sejas*	*seja*	*sejam*
estar	*não estejas*	*esteja*	*estejam*
ir	*não vás*	*vá*	*vão*
dar	*não dês*	*dê*	*deem*

2 Indefinidos

A

	Singular		**Plural**	
	masculino	**feminino**	**masculino**	**feminino**
	nenhum	*nenhuma*	*nenhuns*	*nenhumas*
	algum	*alguma*	*alguns*	*algumas*
pessoas ou coisas	*muito*	*muita*	*muitos*	*muitas*
	pouco	*pouca*	*poucos*	*poucas*
	todo	*toda*	*todos*	*todas*
	outro	*outra*	*outros*	*outras*

Exemplos

Esta biblioteca tem *alguns* livros muito interessantes.
Hoje está *muito* calor.
Não está *nenhum* aluno na sala.
Todos os quartos estão limpos.

B

	Indefinidos invariáveis	
pessoas	*alguém*	*ninguém*
coisas	*tudo*	*nada*
pessoas e coisas	*cada*	

Exemplos

Neste escritório, *cada* pessoa tem um computador.
Está *alguém* na casa de banho?
Gosto de *tudo* o que esta loja tem.
A esta hora *não* está *ninguém* no escritório.

3 Preposições + Pronome pessoal

Depois de uma preposição (*para, por, de, sem…*), alguns pronomes pessoais têm uma forma especial.

eu ⟶ *mim*
tu ⟶ *ti*
você ⟶ *si*

Exemplos

Este presente é <u>para</u> *ti*.
Estão a falar <u>de</u> *mim*?

Já foste a uma tourada?

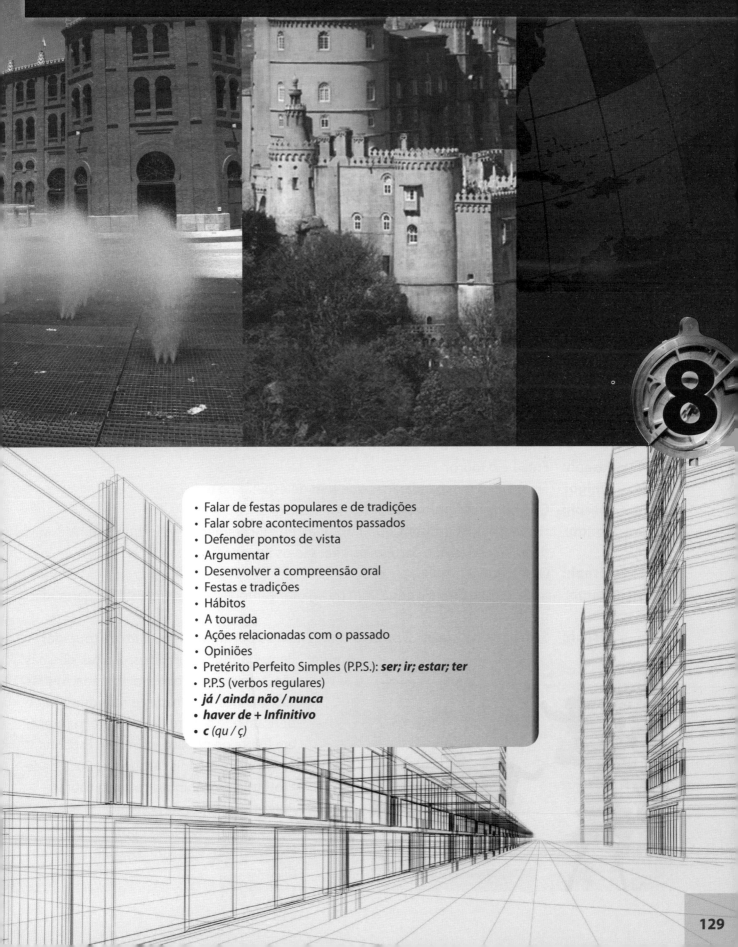

8

- Falar de festas populares e de tradições
- Falar sobre acontecimentos passados
- Defender pontos de vista
- Argumentar
- Desenvolver a compreensão oral
- Festas e tradições
- Hábitos
- A tourada
- Ações relacionadas com o passado
- Opiniões
- Pretérito Perfeito Simples (P.P.S.): *ser; ir; estar; ter*
- P.P.S (verbos regulares)
- *já / ainda não / nunca*
- *haver de + Infinitivo*
- *c (qu / ç)*

Já foste a uma tourada?

A. Falar sobre tradições

Ler e ouvir

1. O Joseph está com o amigo português à porta da Praça de Touros do Campo Pequeno.

Amigo: Já foste a uma tourada?

Joseph: Não, em Portugal nunca fui. Quando estive em Espanha, fui com a minha namorada, mas não achámos muito interessante. Tivemos de sair antes do final da tourada porque ela ficou bastante impressionada.

Amigo: Não, mas olha que em Portugal não é assim. Também é um espetáculo com muita tradição, mas é diferente. Aqui é proibido matar o touro na arena. Em Espanha mataram o touro, não foi?

Joseph: Mataram. Para mim, essa foi a parte menos interessante. Como é, então, em Portugal?

Amigo: Em Portugal, o toureio a pé não é tão importante como em Espanha. Para nós, a figura principal é o cavaleiro que tem de ter um cavalo muito bem treinado.

Joseph: Então e o touro?

Amigo: O cavaleiro tem bandarilhas que tem de espetar no touro.

Joseph: Que horror! O touro deve sofrer imenso.

Amigo: Há pessoas que dizem que não, mas eu sinceramente acho que sim. Ah! Mas depois disso, vem a parte mais gira: são os forcados.

Joseph: Os forcados?

Amigo: São eles que fazem a pega. Têm de agarrar e imobilizar o touro. Esta é a parte mais perigosa.

Joseph: Sem nada nas mãos? É preciso coragem! E os portugueses gostam de tourada?

Amigo: Bem, há muitas opiniões. Muitas pessoas são totalmente contra a tourada, outras são grandes aficionadas e há algumas que pensam que o touro devia morrer na arena, em frente do público, como em Espanha.

Joseph: Ah! Já vi um ou dois cartazes da Sociedade Protetora dos Animais contra a tourada.

Amigo: Pois é! É uma grande polémica. Mas, afinal, queres ir à tourada, ou não?

Joseph: Hum... Não sei. Vou pensar e depois digo-te.

2. Escolha a melhor alternativa para completar as frases sobre o texto.

1. A tourada é um espetáculo que existe
       a. só em Portugal.
       b. em Portugal e em Espanha.
       c. só em Espanha.

2. O Joseph
       a. gostou imenso da tourada que viu em Espanha.
       b. não gostou muito da tourada que viu na Espanha.
       c. detestou a tourada que viu em Espanha.

3. Em Portugal
       a. não podem matar o touro em público.
       b. podem matar o touro em público.
       c. matam sempre o touro em público.

4. Em Portugal
       a. o toureiro é a figura principal.
       b. o cavaleiro é a figura principal.
       c. os forcados são as figuras principais.

5. O cavaleiro tem de
       a. espetar as bandarilhas.
       b. distrair o touro.
       c. pegar o touro.

6. Os forcados
       a. atacam o touro.
       b. imobilizam o touro.
       c. distraem o touro.

7. Em Portugal
       a. todas as pessoas gostam de tourada.
       b. ninguém gosta de touradas.
       c. muitas pessoas gostam de touradas.

3. Faça perguntas para as seguintes respostas.

1. _____ .

Estão a falar sobre a tourada.

2. _____ .

O toureiro distrai o touro com uma capa vermelha.

3. _____ .

Fazem a pega.

4. _____ .

Não, em Portugal é proibido matar o touro.

5. _____ .

São as pessoas que gostam muito de tourada.

Falar

4.

1. **E você? Já foi a alguma tourada?**

2. **Qual é a sua opinião sobre a tourada?**

3. **No seu país há alguma festa ou espetáculo típico ou tradicional? Explique como é.**

4. **Conhece ou já viu alguma atividade ou espetáculo especial e específico de uma cultura comparável à tourada?**

Selecionar argumentos contra e a favor

5. Destes 14 argumentos, 7 são a *favor* da tourada e 7 *são contra*. Coloque-os no local correto do quadro.

1. É uma tradição e temos de respeitar e manter as tradições.

2. É um espetáculo que revela o espírito sádico das pessoas.

3. É um espetáculo com muita cor e beleza.

4. As pessoas criticam a tourada, mas depois comem carne.

5. O touro é um animal e os animais também sofrem.

6. Só com os forcados é que o espetáculo é justo.

7. É um espetáculo que testa a coragem do homem.

8. Não podemos conservar todas as tradições.

9. A tourada faz parte da cultura portuguesa.

10. É um espetáculo bárbaro.

11. É um espetáculo justo, porque é tão perigoso para o homem, como para o animal.

12. Todos podemos ver o sangue do touro. Por isso, o touro sofre bastante.

13. O touro é um animal selvagem.

14. Não é um espetáculo justo. O cavaleiro está armado e está em cima de um cavalo.

Tourada	
Argumentos a favor	Argumentos contra

Gramática: completar quadro com verbos no P.P.S.

6.

1. Complete o quadro.

Pretérito perfeito simples		
ser / ir	estar / ter	
eu	eu	eu
tu	tu	tu
ele	ele	ele
nós	nós	nós
eles	eles	eles

2. Repare nos exemplos.

1. Já **foste** a uma tourada?
   Não, nunca **fui**.

2. Essa **foi** a parte menos interessante.

3. Quando **estive** em Espanha…

4. **Tive** de sair antes do final da tourada.

Faça mais alguns exemplos com os verbos *ser*, *ir*, *estar* e *ter* no *P.P.S.*

Gramática: fazer frases com verbos *ser*, *ir*, *estar* e *ter* no P.P.S.

3. Siga o exemplo, usando o verbo *ir*.

> – *Já foram* ao Porto?
> – Sim, *já fomos.*
>   ou
> – Não, *ainda não* fomos.

a. Já foste ao Parque das Nações?

Sim, _____

b. Você já foi ao Castelo de S. Jorge?

Não, _____

c. Já foste à praia este ano?

Sim, _____

d. Você já foi ver este filme?

Sim, _____

4. Agora continue a colocar perguntas aos colegas ou ao professor.

5. Siga o exemplo e faça perguntas aos colegas ou ao professor.

> – *Já estiveste* em Madrid?
> – Sim, *já* lá **estive**.
>   ou
> – Não, **nunca** lá **estive**.

6. Siga o exemplo e pratique com os colegas.

>   filme / bom
> – O filme foi *bom*?
> – Não, foi *péssimo*.

a. bilhetes / baratos

b. espetáculo / mau

c. corrida / difícil

d. festa / chata

e. conferência / longa

f. viagem / boa

7. Complete as frases com os verbos _ser_, _ir_, _ter_ ou _estar_ no P.P.S.

Gramática: completar com verbos ser, ir, estar e ter no P.P.S.

a. Os forcados _____ para a arena de mãos vazias.

b. O cavaleiro _____ problemas com o cavalo.

c. A tourada de ontem à noite _____ um espetáculo muito interessante.

d. Os meus amigos _____ na praça de touros até ao final do espetáculo.

e. O cavaleiro _____ que trocar de cavalo.

f. Os bilhetes para a tourada _____ muito caros.

g. Ontem nós _____ à praça de touros.

h. Ontem nós _____ na praça de touros.

8. Responda às perguntas, como no exemplo.

Gramática: responder com verbos ser, ir, estar e ter no P.P.S.

– **És** estudante?

– Não **sou**, mas já **fui**.

1. Estás chateado?

2. Vocês têm um carro branco?

3. Tens problemas com os verbos?

4. Vais à tourada hoje à noite?

5. Você é secretária?

6. Vocês estão cansados?

7. A tourada é um espetáculo muito popular?

8. O cavaleiro tem uma bandarilha na mão?

B. Falar sobre o passado

1. Conjugue no _P.P.S._ os seguintes verbos: _falar, telefonar, acabar, compreender, correr, beber, sentir, ouvir_ e _repetir_.

Gramática: verbos regulares no P.P.S

P.P.S Verbos regulares		
_-ar_	_-er_	_-ir_
eu _____ **ei**	eu _____ **i**	eu _____ **i**
tu _____ **aste**	tu _____ **este**	tu _____ **iste**
ele _____ **ou**	ele _____ **eu**	ele _____ **iu**
nós _____ **ámos**	nós _____ **emos**	nós _____ **imos**
eles _____ **aram**	eles _____ **eram**	eles _____ **iram**

© Lidel Edições Técnicas

Gramática: verbos regulares no P.P.S

2. Faça frases com os seguintes verbos no passado:

A

1. Ontem eu _____ . (ficar)
2. Na semana passada tu _____ ? (encontrar)
3. No ano passado ele_____ . (comprar)
4. No fim de semana passado nós _____ . (passear)
5. Anteontem eles_____ . (trabalhar)

B

1. No sábado passado eu _____ . (escrever)
2. Ontem tu _____ . (ler)
3. Há dois anos ele _____ . (receber)
4. Há uma semana elas _____ . (vender)
5. Hoje de manhã nós_____ . (comer)

C

1. Há quanto tempo é que tu _____ ? (partir)
2. Quem é que _____ ? (abrir)
3. No domingo passado nós _____ . (repetir)
4. Ontem à noite eles _____ . (preferir)
5. Hoje eu _____ . (vestir)

3. Complete o texto com os verbos conjugados no *P.P.S.* e depois ouça-o.

Completar texto com as formas verbais

No fim de semana passado

No sábado passado, o Joseph _____ (decidir) ir novamente a Sintra. _____ (convencer) o amigo e _____ (ir) os dois de comboio até à vila e _____ (visitar) o Palácio de Sintra. A seguir, _____ (entrar) num café e _____ (pedir) duas queijadas. O Joseph _____ (beber) um galão escuro e o amigo preferiu uma bica. Depois, _____ (subir) a serra a pé até ao Palácio da Pena. O Joseph _____ (adorar) a paisagem. Ele já lá _____ (ir) mais do que uma vez, mas gosta sempre deste passeio. _____ (descer) a serra, mas no caminho _____ (encontrar) um pequeno restaurante e _____ (decidir) comer qualquer coisa. _____ (chegar) a casa cansados, mas _____ (descansar) um pouco e _____ (combinar) encontrar-se outra vez às 20:30. _____ (ir) jantar com alguns amigos e _____ (passar) uma noite como muitos jovens portugueses gostam: _____ (comer), _____ (beber), _____ (conversar), _____ (dançar) e, é claro, _____ (voltar) tardíssimo para casa. No domingo, o Joseph _____ (dormir) até à hora do almoço.

4. Este foi o fim de semana do Joseph. Faça 5 perguntas sobre o texto aos seus colegas.

5. Agora, responda oralmente às seguintes perguntas e, se possível, desenvolva as suas respostas.

    1. Teve aulas de português na semana passada? O que é que aprendeu?
    2. Qual foi o último filme que viu no cinema? Gostou? Porquê?
    3. Comprou alguma coisa interessante na semana passada? O quê?
    4. Como foi o fim de semana passado? O que fez ?

6. Faça perguntas para estas respostas, usando os verbos no *P.P.S.*

1. _____ ?
    Porque tive de trabalhar até mais tarde.

2. _____ ?
    Fui a Sintra.

3. _____ ?
    Fui, sim.

4. _____ ?
    Não, não falei com ele, mas falei com a secretária dele.

5. _____ ?
    Estive na biblioteca.

7. Relacione cada desenho com as ações correspondentes. Diga o que eles fizeram hoje de manhã, conjugando os verbos no *P.P.S.*

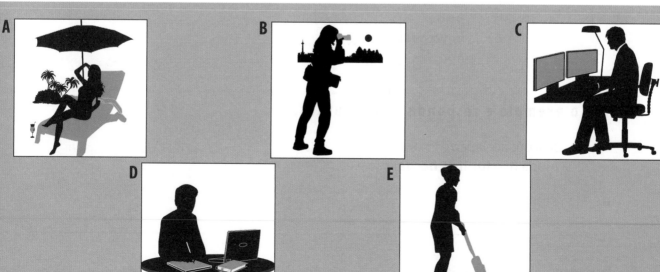

A   B   C   D   E

- Levantar-se às 8:00 e tomar um duche
- Tomar o pequeno-almoço no hotel
- Sair e ir a pé para o centro da cidade do Porto
- Visitar a Sé e passear na zona da Ribeira
- Atravessar a ponte
- Visitar as Caves do vinho do Porto
- Almoçar

- Levantar-se cedo
- Preparar o saco da praia
- Encontrar-se com os amigos
- Apanhar a camioneta
- Chegar à praia
- Estender a toalha
- Apanhar sol
- Comer uma sandes
- Beber um sumo
- Voltar para casa

- Levantar-se e acordar os filhos
- Vestir os filhos
- Preparar o pequeno-almoço para a família
- Levar os filhos à escola
- Ir ao supermercado
- Limpar o pó, aspirar e arrumar a casa
- Preparar o almoço
- Ir buscar os filhos à escola
- Almoçar com a família

- Levantar-se cedo
- Arranjar-se e tomar o pequeno-almoço
- Chegar cedo ao escritório
- Ter uma reunião às 9:30
- Receber um cliente às 10:30
- Ler dois relatórios importantes
- Telefonar para Roma e Madrid
- Ter um almoço de negócios às 13:30

- Levantar-se às 10:00
- Ir para a biblioteca
- Estudar durante duas horas
- Almoçar na Faculdade
- Ter aulas às 13:00

Gramática: *haver de* + Infinitivo - planos para o futuro

8.

1. Complete as frases com planos para um dia no futuro.

	***haver de* + Infinitivo**	
Um dia eu	*hei de*	_____.
tu	*hás de*	_____.
ele	*há de*	_____.
nós	*havemos de*	_____.
eles	*hão de*	_____.

Gramática: P.P.S. / *haver de* + Infinitivo

2. Siga o exemplo e responda às perguntas.

– Já foste ao Japão?
– Ainda não fui, mas **hei de** ir.

a. Ela já te telefonou?

_____

b. Vocês já visitaram a Sé?

_____

c. Eu fui selecionado?

_____

d. Já tiveste um carro descapotável?

_____

e. Você já comeu cozido à portuguesa?

_____

f. Ele já vos visitou?

_____

g. Vocês já foram a Sintra?

_____

h. Já mudaste de casa?

_____

9. **Antes de ler, ouça o diálogo ao telefone e responda.**

Verdadeiro ou falso?

1. O Pedro telefona para a Susana. V / F

2. A Susana convida o Pedro para um concerto. V / F

3. O Pedro vai com a Susana. V / F

4. O Pedro já foi ao concerto. V / F

5. O Pedro foi sozinho. V / F

6. O Pedro e o amigo não gostaram do concerto. V / F

7. No próximo concerto, o Pedro vai com a Susana. V / F

Já foste a uma tourada?

– Está?

– Está? Pedro?

– Sim. Quem fala?

– Sou eu, a Susana.

– Ah, olá Susana. Então, tudo bem?

– Tudo bem. Olha, queres ir amanhã à noite ao concerto no Centro Cultural?

– Oh! Já fui. Fui ontem com o Paulo.

– Ah, já? E gostaram?

– Adorámos. É um excelente espetáculo. No próximo concerto vamos todos juntos.

– Está combinado.

– Na segunda-feira encontramo-nos na faculdade.

– Está bem. Até segunda!

– Até segunda, Susana.

EXPRESSÕES

Que horror!
Mas, afinal, queres ir, ou não?
Pois é!
Já foste...?
Ainda não fui, mas hei de ir.

Está?
Quem fala?
Então, tudo bem?
Está combinado.

C. Fonética

A letra c tem diferentes leituras.

ca	*ça*
(que)	*ce*
(qui)	*ci*
co	*ço*
cu	*çu*

Ouça as palavras e repita-as.

[K]

casa	**qu**ero	**qu**inta	**c**onta	**c**ulpa
a**c**aba	**qu**eijo	má**qu**ina	es**c**ola	pro**c**urar
fa**c**a	**qu**ente	**qu**ilo	**c**opo	parti**c**ular

[S]

ta**ç**a	**c**entro	**ci**dade	fa**ç**o	a**ç**úcar
fa**ç**a	**c**edo	fá**ci**l	aque**ç**o	mu**ç**ulmano
ca**ç**a	**c**em	**ci**nto	mere**ç**o	a**ç**ucena

1 Pretérito Perfeito Simples (P.P.S.)

Usa-se para ações pontuais no passado.

	Pretérito perfeito simples		
	ser / ir	estar	ter
eu	fui	estive	tive
tu	foste	estiveste	tiveste
você/ela/ele	foi	esteve	teve
nós	fomos	estivemos	tivemos
vocês/elas/eles	foram	estiveram	tiveram

Exemplos

Ontem **fui** ao cinema.
O empregado ontem **foi** muito simpático.
Anteontem eles **estiveram** na minha casa.
Na semana passada **tivemos** exame de Matemática.

2 P.P.S: verbos regulares

	P.P.S.		
	Verbos regulares		
	-ar	-er	-ir
eu	-ei	-i	-i
tu	-aste	-este	-iste
você/ela/ele	-ou	-eu	-iu
nós	-ámos	-emos	-imos
vocês/elas/eles	-aram	-eram	-iram

3 já / ainda não / nunca

Exemplo

– *Já* visitaste o Porto?
– Sim, **já** visitei. / Não, ***ainda não*** visitei, mas vou visitar. / Não, ***nunca*** visitei.

4 *haver de* + Infinitivo

Usa-se para intenções em relação ao futuro.

Um dia	eu **hei de ir** ao Brasil.
	tu **hás de vir** à minha casa.
	ela **há de visitar**-te.
	nós **havemos de comer** comida japonesa.
	eles **hão de comprar** uma casa nova.

Já preparaste a festa?

- Falar de ações passadas
- Utilizar expressões de cortesia adequadas
- Planear uma festa
- Enviar convites
- Festas
- Utensílios domésticos
- Fórmulas de cortesia
- Convites
- P.P.S. (verbos irregulares): **trazer; fazer; dizer; ver; vir; pôr; dar**
- **conseguir; saber; poder**
- Sons nasais

Já preparaste a festa?

A. Preparar uma festa

1.

> Hoje é dia 3 de junho e o André faz 9 anos. A mãe, a Cristina, está a preparar uma festa para o aniversário do filho. A irmã mais velha do André, a Inês, ajudou a mãe e o pai também deu uma ajuda. O André convidou muitos amigos e os primos também vêm. Ele entregou um convite a cada um e eles vão começar a chegar às 15 horas. Agora são 14 horas e a avó Margarida também chegou para ajudar.

Avó: Então, já preparaste tudo para a festa?

Cristina: Já está quase tudo. Ontem fui ao supermercado e fiz as compras todas. Depois, encomendei o bolo de anos, os salgados e as miniaturas para o meio-dia. Comprei tudo na pastelaria do costume. O Luís acabou de chegar com a encomenda. Este ano não fiz tantas sandes como no ano passado. Ah, é verdade! Trouxe a musse de chocolate?

Avó: Claro que trouxe. Está aqui no saco. Toma. Põe no frigorífico. Já puseste a mesa?

Cristina: A Inês já pôs. Ontem decorámos a sala com balões. Ficou giríssima. Vá lá ver!

Avó: Já vi, já vi. Já te esqueceste que eu também ajudei?

Cristina: Ah, pois foi! Então, porque é que o pai ainda não veio?

Avó: Olha, disse que queria fazer uma surpresa ao André. Acho que foi buscar uma pessoa para animar a festa.

Cristina: Uma pessoa? Quem?

Avó: Parece que a festa vai ter um palhaço. Ele só vai chegar às quatro horas. Não digas nada ao André!

Cristina: Que ideia tão gira! Ele vai adorar.

Inês: Pronto, mãe! A mesa já está preparada. Acho que já pus tudo. Venham ver!

2. Responda às seguintes perguntas:

1. Porque é que vai haver festa no dia 3 de junho?

_____

2. Quem ajudou a preparar a festa?

_____

3. Quem foi buscar o bolo de anos à pastelaria?

_____

144

4. A Margarida é mãe do André e da Inês?

_____

5. Porque é que o avô não veio com a avó?

_____

6. Quem é que pôs a mesa?

_____

3. Quem fez o quê? Coloque as frases na ordem correta e conjugue os verbos no *P.P.S.*

(pôr) a mesa

(fazer) as sandes

(dar) os convites aos colegas

(ajudar) a decorar a sala

(ir) buscar a encomenda

(começar) a chegar à festa às 15:00

(encomendar) o bolo

(chegar) para animar a festa

(ir) ao supermercado

1. *O André* _____
_____

2. _____
_____

3. _____
_____

4. _____
_____

5. _____
_____

6. _____
_____

7. _____
_____

8. _____
_____

9. _____
_____

4. Este é um dos convites que o André deu aos colegas. Ele esqueceu-se de preencher tudo. Acabe de preencher o convite.

CONVITE

João Miguel Nunes

CONVIDO-TE PARA A MINHA FESTA
NO DIA_____
ÀS _____ HORAS.
LOCAL: _a minha casa_____

Confirma, por favor até ao dia 12. Telef. 21 3344334

5. Complete o quadro com o *Pretérito Perfeito* dos verbos *trazer* e *dizer*.

P.P.S.			
trazer		**dizer**	
eu	*trouxe*	eu	*disse*
tu		tu	
você		você	
ela/ele		ela/ele	
nós		nós	
vocês		vocês	
elas/eles		elas/eles	

6. Complete o quadro, colocando as formas dos verbos *ver* e *vir* no local correto.

viste / vieste   vim / vi   vimos / viemos
vieram / viram   viu / veio

P.P.S.			
ver		**vir**	
eu		eu	
tu		tu	
você		você	
ela/ele		ela/ele	
nós		nós	
vocês		vocês	
elas/eles		elas/eles	

7. Complete o quadro e faça frases.

Presente do Indicativo		P.P.S.	
Hoje	eu **vejo**	Ontem	eu
	nós **trazemos**		nós
	eles **dizem**		eles
	ela **vem**		ela
	tu **vês**		tu
	você **traz**		você
	vocês **veem**		vocês
	tu **vens**		tu
	eu **digo**		eu
	nós **vemos**		nós
	nós **vimos**		nós
	elas **vêm**		elas

Gramática: verbo pôr (P.P.S.)

8. Quem é que pôs a mesa?

P.P.S.		
pôr		
Eu	*pus*	a toalha.
Tu	_____	os pratos.
Ele	_____	os talheres.
Nós	_____	os copos.
Elas	_____	os guardanapos.

Vocabulário: pôr a mesa

9. Vamos pôr a mesa? Coloque os objetos na coluna adequada. Alguns podem ficar nas duas colunas.

toalha / guardanapos / chávenas / tigelas / copos / colheres / garfos / facas / pratos / açucareiro / galheteiro

Pôr a mesa	
para o pequeno-almoço	**para o almoço/jantar**

10.

1. O André está a falar com a tia sobre os presentes que recebeu. Ouça primeiro o diálogo e depois leia-o.

Ouvir e ler o diálogo

Tia: Então o que é que os teus pais te deram?

André: Deram-me uma bicicleta nova.

Tia: Ena! E gostaste do que eu e o tio te demos?

André: Adorei. Um colega meu tem esse jogo e há muito tempo que eu queria ter um igual.

Tia: Quem é que te deu este CD?

André: Foi a Inês.

Tia: E tu, o que é que lhe deste quando ela fez anos?

André: Dei-lhe uma pulseira.

2. No diálogo encontra todas as formas do verbo *dar* no P.P.S. Procure-as e complete o quadro.

P.P.S.
dar
eu
tu
ele
nós
vocês

11.

1. O André recebeu muitos telefonemas de pessoas a darem-lhe os parabéns. Logo de manhã, a Rita, uma amiga da mãe, telefonou-lhe. Ouça a conversa entre eles.

2. Enquanto ouve outra vez o diálogo, complete os espaços.

André:	Está?
Rita:	Está, André?
André:	Sim. Quem _____?
Rita:	Sou a Rita, _____ da mãe.
André:	Ah! Olá!
Rita:	Então, _____ parabéns.
André:	Obrigado.
Rita:	Quantos anos _____ ?
André:	Nove.
Rita:	Já? O tempo passa tão _____! Olha, um grande beijinho e desejo-te um dia muito _____, está bem?
André:	_____.
Rita:	Então, _____ e dá um _____ à tua mãe.
André:	Adeus. Com _____.

3. À noite, o André foi jantar com os pais e com a irmã a um restaurante chinês. Ele adora comida chinesa. Enquanto eles estiveram fora, a tia Guida, que mora no Porto, telefonou. Quando voltaram, eles ouviram as mensagens no atendedor de chamadas. Esta foi a mensagem da tia Guida.
Ouça-a.

4. Junte A + B e ponha na ordem correta para ficar com a mensagem que a tia Guida deixou.

A	B
O tio também te manda	se gostaste da tua festa.
Fala	para te dar os parabéns.
Amanhã à noite	de dia muito feliz.
Desejo-te um resto	André.
Olá,	um beijinho de parabéns.
Estou a telefonar	telefono outra vez.
Quero saber	a tia Guida.

12. E assim se passou o dia de anos do André.
Os jovens em Portugal festejam os seus aniversários com a família, mas depois vão jantar e festejar com os seus amigos.

Como é no seu país? Como é que festejou o seu último aniversário?

13. Faça corresponder a cada situação a expressão correta.

Situações	Expressões
1. Uma amiga teve um bebé.	**a.** Desejo-te as maiores felicidades!
2. Estamos em dezembro. Vai escrever um cartão de Natal a um amigo.	**b.** Parabéns.
	c. Festas Felizes / Feliz Natal e um Próspero Ano Novo.
3. Uma amiga faz anos.	**d.** Muito obrigado.
4. O pai de um amigo faleceu.	**e.** Os meus sentimentos.
5. Uma amiga vai casar-se.	**f.** Muitos parabéns e felicidades para o bebé.
6. Uma amiga ofereceu-lhe um presente.	

Gramática: verbo *fazer* (P.P.S.) e completar com *tão* / *tanto*

14. Preste atenção ao verbo _fazer_ e complete as frases com *tão* ou *tanto/a/os/as.*

P.P.S.
fazer
Eu **fiz** _____ sandes como no ano passado.
Tu **fizeste** o bolo _____ depressa!
Ela **fez** uma festa para _____ gente!
Nós **fizemos** _____ bolos!
Eles **fizeram** uma festa _____ gira!

Gramática: responder oralmente com o verbo

15. Responda oralmente às perguntas <u>só com o verbo</u>.

1. Já abriste os presentes?
2. Vocês foram à festa do André?
3. O André fez nove anos?
4. Você disse ao seu irmão que o André faz anos hoje?
5. Trouxeste um presente para ele?
6. Pôs o seu casaco na sala?
7. Vocês vieram de táxi?
8. Viste como a sala está decorada?
9. Deste-lhe os parabéns?
10. O vosso filho não veio?
11. Vocês fizeram uma festa no aniversário dele?
12. Gostaste da surpresa?
13. Leste o cartão que eles te mandaram?
14. Telefonaram ao Miguel?
15. Tiveste muitos presentes no teu aniversário?
16. Foste com o André?
17. Vieste com eles?
18. Estiveste em casa ontem?
19. Vocês ouviram a mensagem?
20. Fizeste muitas sandes?

B. Festas especiais

1. O Natal

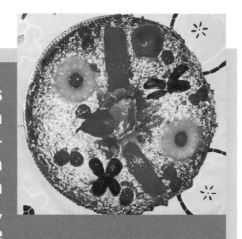

O Natal é uma data muito especial. Os portugueses gostam de oferecer presentes a vários membros da família e também aos seus amigos. No Natal gasta-se muito dinheiro, mas o importante é reunir a família: pais, filhos, avós, tios, primos. Ninguém deve ficar sozinho. Até às 19:00 horas do dia 24, muitos portugueses procuram os presentes de última hora. O movimento nas ruas é enorme. Tudo tem de estar preparado para a noite de Natal.

Na noite do dia 24, a família junta-se para a ceia de Natal: bacalhau cozido com batatas e legumes, para os mais tradicionais; mas também há famílias que preferem peru. Para a sobremesa, a mesa enche-se de doces: fatias douradas, farófias, filhoses, bolo-rei e muitos outros. Come-se muito e também se bebe bastante. Mais tarde, vem o momento que todos esperam: a troca de presentes. No dia 25, a festa continua com um almoço que também tem de ser especial. A família reúne-se mais uma vez e passa umas horas de convívio alegre, com todos sentados a uma mesa cheia. Mas as crianças preferem passar o dia a brincar com os brinquedos que o Pai Natal lhes ofereceu.

2. Responda às seguintes perguntas.

1. Indique os aspetos que, segundo o texto, são importantes para os portugueses no Natal.

2. No seu país também se festeja o Natal? É uma festa muito diferente do Natal português? Em que aspetos?

3. Como é que passou o seu último Natal?

4. E como é que festejou a última passagem de ano?

5. Imagine que estamos perto do Natal e você vai telefonar a um amigo para lhe desejar um Natal Feliz. Faça esse telefonema com um colega ou com o seu professor.

6. Agora imagine que o seu colega faz anos hoje. Telefone-lhe e dê-lhe os parabéns.

3.

1. Antes de ler, ouça os dois diálogos ao telefone e diga qual é a ocasião especial a que cada um deles corresponde: *casamento / aniversário / Natal / nascimento*.

Telefonema	Ocasião
1.º	
2.º	

2. Agora leia os diálogos ao telefone e faça algumas perguntas sobre os telefonemas.

1.º telefonema	2.º telefonema
A – Está?	**B** – Está?
– Está. É da casa da Sofia?	– Está, Paulo? Daqui é o Luís.
– Sim. Sou eu. Quem fala?	– Olá! Como está?
– Já não me conheces? Sou o João.	– Bem, obrigado. Olhe, estou a telefonar para lhe desejar um Feliz Natal e um ótimo Ano Novo.
– Ah! Olá, João! Tudo bem contigo?	
– Sim, está tudo bem, obrigado. Olha, estou a telefonar-te para te desejar muitas felicidades. Já recebeste o meu cartão?	– Obrigado, Luís. Um Feliz Natal para si também. Vai passar o Natal na sua casa?
– Já, já recebi. Mas, não podes mesmo vir?	– Não, este ano vou passar na casa dos meus pais. Bom, vemo--nos no dia 3 de janeiro na reunião.
– Não, é impossível. Vais casar no mesmo dia em que os meus pais fazem 25 anos de casados. Tenho de ir à festa deles.	
– Pois é. Tenho imensa pena.	– É verdade! Então, até dia 3. Com licença.
– Deixa lá! Olha, desejo-te um dia muito feliz e muitas felicidades para ti e para o Mário.	
– Obrigada. E dá um beijinho meu aos teus pais.	

EXPRESSÕES

Acabou de chegar.
Claro que...
Toma.
Vá lá ver!
Pois foi!
Muitos parabéns!
Desejo-te um dia muito feliz.
Com licença.

Felicidades!
Festas Felizes!
Feliz Natal!
Um próspero Ano Novo!
Os meus sentimentos!
Quem fala?
Deixa lá!

C. Fonética

 Os <u>sons nasais</u> são difíceis para alguns estrangeiros.
Ouça com atenção as palavras que têm <u>sons nasais</u> e repita-as.

- fal**am**
- tiver**am**
- co**m**pr**am**
- volt**am**
- ve**n**d**em**
- se**n**t**em**
- t**em**
- v**em**
- t**êm**
- v**êm**
- le**em**
- ve**em**

- p**õe**
- p**õe**m
- p**ão**
- t**ão**
- m**ão**
- c**ão**
- c**ãe**s
- p**ãe**s
- m**ão**s
- irm**ão**s
- lim**õe**s
- aç**õe**s

Apêndice Gramatical

1 Pretérito Perfeito Simples – verbos irregulares

	trazer	dizer	fazer
eu	trouxe	disse	fiz
tu	trouxeste	disseste	fizeste
você/ela/ele	trouxe	disse	fez
nós	trouxemos	dissemos	fizemos
vocês/elas/eles	trouxeram	disseram	fizeram

	ver	vir	pôr	dar
eu	vi	vim	pus	dei
tu	viste	vieste	puseste	deste
você/ela/ele	viu	veio	pôs	deu
nós	vimos	viemos	pusemos	demos
vocês/elas/eles	viram	vieram	puseram	deram

2 conseguir / saber / poder

• conseguir – ter capacidade de

Exemplos Não *consigo* compreender este texto. É muito difícil.
Consegues correr 15 km sem parar?

• saber – ter conhecimento de
– saber como fazer alguma coisa

Exemplos Já *sei* que encontraste a Rita ontem.
Ele *sabe* nadar?

• poder – possibilidade
– permissão
– proibição

Exemplos No próximo sábado não *posso* ir com vocês ao futebol. Tenho de estudar.
Posso usar o teu dicionário?
Não *podes* fumar neste restaurante.

1. Qual é a expressão correta para os espaços?

Parabéns!	Que pena!
Boa viagem.	Que bom!
Com licença.	Não faz mal.
Desculpe.	De nada.
As melhoras.	Vamos embora!

1. – Afinal posso ir à tua festa.

– _____

2. – _____, podia dizer-me onde ficam os Correios?

3. – Muito obrigada pela cassete que me emprestaste.

– _____

4. – _____. Tenho que descer na próxima paragem.

5. – Então, _____ ! Quantos anos fazes?

6. – Desculpa, mas esqueci-me completamente de trazer o livro que me pediste.

– _____

7. – Ouvi dizer que vocês partem esta noite para Madrid. Então, _____!

– Obrigado.

8. – Querem ir ao cinema hoje à noite?

– _____! Que filme vamos ver?

9. – No próximo fim de semana não posso ir contigo à praia.

– _____!

10. – Vou para casa. Estou com 38,5° de febre e dói-me imenso a cabeça.

– Então, até amanhã e _____.

2. Responda às perguntas com o <u>verbo</u> + <u>pronome</u> (<u>reflexo</u> ou <u>indireto</u>).

1. – Esqueceste-te das chaves do carro?

– (eu) _____ .

2. – Disseram aos vossos pais que vão chegar mais tarde?

– (nós) _____ .

3. – Disse o que se passou ao diretor?

– (eu) _____ .

4. – Vocês lembraram-se de trazer os vossos bilhetes de identidade?

– (nós) _____ .

5. – Fazes-me um favor?

– (eu) _____ .

6. – Trouxeste-me o que te pedi?

– (eu) _____ .

7. – O senhor já telefonou à sua esposa?

– (eu) _____ .

8. – Já deram os parabéns à Teresa?

– (nós) _____ .

3. Faça frases e junte-as com: _porque_, _mas_, _e_, _quando_ ou _enquanto_.

1. · segunda-feira passada / (eu) ir / médico
· ele / só / atender-me / 19 horas

_____

_____

2. · próximas férias / (eu) ir / Paris
· visitar / Disneyland Paris

_____

_____

3. · ontem / João / chegar / atrasado
· carro / avariar-se

_____

_____

4. · normalmente / ele / pôr / mesa
· eu / fazer / jantar

_____

_____

5. · eu / dar-lhe / presente
· ela / dizer-me / sempre / obrigada

_____

_____

4.

Esta é a Sara. Ela é secretária e ontem foi o seu primeiro dia de trabalho no gabinete do Dr. Santos, numa empresa em Coimbra.

Ela foi substituir a Carla que vai ter um bebé e durante alguns meses não pode ir trabalhar.

Quando a Sara chegou ao trabalho, encontrou na sua secretária uma mensagem da Carla com algumas instruções.

Escreva de novo as instruções na *forma imperativa*, utilizando a forma *você* .

A

- *ir* buscar o correio e o jornal à receção
- *abrir* o correio
- *pôr* os faxes e o jornal na secretária do Dr. Santos
- *fazer* café
- *levar* o café ao Dr. Santos
- *passar* os relatórios no computador
- *confirmar* a reunião com os clientes
- *reservar* uma passagem de avião e hotel para o Dr. Santos para a viagem a Barcelona
- *enviar* as faturas aos clientes
- *atender* o telefone e *anotar* as mensagens

- _____
- _____
- _____
  _____
- _____
- _____
- _____
- _____
- _____
  _____
- _____
- _____

B

Quando a Sara chegou a casa, a mãe perguntou-lhe o que ela fez no seu primeiro dia de trabalho. O que é que ela respondeu?

– **Fui** buscar o correio e o jornal. _____

_____

_____

_____

_____

_____

_____

_____

_____

_____

5. A que parte do corpo é que se destinam?

1 - luvas	**a** - *pernas*
2 - meias	**b** - olhos
3 - gorro	**c** - braços
4 - cachecol	**d** - pés
5 - *calças (a)*	**e** - mãos
6 - óculos	**f** - cabeça
7 - mangas	**g** - pescoço

6. <u>Tem imaginação?</u> Olhe para estes desenhos e apresente os personagens. Dê o máximo de informações sobre elas: <u>nome</u>, <u>nacionalidade</u>, <u>parentesco</u>, <u>profissão</u>, <u>descrição física</u>, <u>idade</u>, <u>onde vivem</u>, <u>passatempos</u>, etc.

_____

_____

_____

_____

_____

_____

_____

_____

_____

_____

_____

_____

_____

_____

_____

_____

_____

_____

_____

_____
_____
_____
_____
_____
_____
_____
_____
_____
_____
_____
_____

_____
_____
_____
_____
_____
_____
_____
_____

7. Escreva as seguintes frases no plural.

1. O amigo alemão deixou uma mensagem.

_____

2. O irmão do diretor também veio.

_____

3. Faz o exercício da lição, por favor.

_____

4. O senhor inglês enganou-se na direção.

_____

5. Quando estive nesse país, fui a uma festa tradicional muito interessante.

_____

6. Já viste a exposição?

_____

7. Gostei imenso do dia que passei contigo.

_____

8. Você veio ontem à aula?

_____

8. Lembra-se do Sr. Saraiva? Estas são imagens do dia de ontem do Sr. Saraiva. O que é que ele fez?

9. **a) Ouça cada palavra com atenção e marque a que ouviu.**
b) De seguida, ouça cada palavra e repita-a.

1. vem / vêm	**7.** sou / só
2. doze / dois	**8.** seu / céu
3. três / treze	**9.** vêm / veem
4. vês / vens	**10.** traz / atrás
5. costas / gostas	**11.** faca / vaca
6. viemos / vemos	**12.** Zé / Sé

10. **Escreva uma frase com cada uma das palavras.**

1. _____
1. _____
2. _____
2. _____
3. _____
3. _____
4. _____
4. _____
5. _____
5. _____
6. _____
6. _____
7. _____
7. _____
8. _____
8. _____
9. _____
9. _____
10. _____
10. _____
11. _____
11. _____
12. _____
12. _____

Unidade de Revisão 3

11. Ouça os seguintes diálogos e complete as partes que faltam.

Diálogo 1

– Desculpe, _____ dizer-me onde fica o Museu do Azulejo?

– Olhe, _____ sempre _____ frente _____ esta rua e _____ na primeira _____ direita. Depois, _____ por essa rua _____ ver uma igreja do _____ esquerdo. O Museu do Azulejo _____ mesmo _____ lado da igreja.

– Obrigadíssimo.

– De nada.

Diálogo 2

– Olá, Paula. Então, _____ da festa _____ anos do Pedro?

– _____. Porque é que não _____?

– Não _____ porque o meu pai também _____ anos e _____ de almoçar com toda a família. A minha mãe _____ um almoço na casa de praia.

– Quantos anos é que o teu pai _____?

– _____.

– Olha, _____-lhe os meus _____ atrasados.

Querida Marta,

- Escrever uma carta
- Relatar factos passados, presentes e futuros
- Falar de experiências
- Relatar ações no passado
- Experiências de vida
- Viagens
- Relatos biográficos
- P.P.S. (verbos irregulares): *haver; saber; poder; querer*
- Pronomes pessoais de complemento direto
- *o*

Querida Marta,

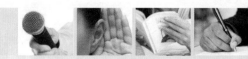

A. Falar sobre acontecimentos passados

1. Leia a carta que a Maria escreveu à amiga Marta.

> *Lisboa , 20 de agosto de 2012*
>
> *Querida Marta,*
>
> *Cá estou novamente em Lisboa. É verdade! As férias já acabaram e estou outra vez a trabalhar. Como muitas pessoas ainda estão de férias, o hospital está mais calmo. O problema é que muitos colegas também estão de férias e, por isso, também há menos médicos.*
>
> *Este ano o António quis passar uma semana na Escócia em junho e fomos os dois sozinhos. Acreditas?! Os miúdos não puderam ir connosco, porque tiveram que se preparar para os exames finais. Durante essa semana ficaram com os avós. Desde que eles nasceram, esta foi a primeira vez que eu e o António não os levámos connosco. Foi como uma segunda lua de mel. A Escócia é linda! Tive muitas saudades dos meus filhos, mas tenho que admitir que foi uma semana fantástica.*
>
> *Nas outras três semanas fomos, como é habitual, para a nossa casa em Troia. É claro que o Francisco e a Rita também foram. Eles adoram estar lá. Têm os seus amigos e passam o dia na praia e na piscina. Este ano houve uma festa no clube com muita gente conhecida. Normalmente não tenho muita paciência para essas coisas, mas este ano decidimos ir. Foi giro!*
>
> *Sabes quem encontrámos na praia? O teu irmão e a tua cunhada. O António viu-os na esplanada da praia e fomos ter com eles. Gostei imenso de os ver. Soube por eles que tu este ano foste de férias para o Brasil. Tens uma profissão em que andas sempre a viajar e nem nas férias consegues ficar por cá muito tempo! Depois, tens de me contar tudo.*
>
> *Em setembro espero-te, como de costume, para uns dias em Santarém. Vais às vindimas, não vais? Nós vamos e com certeza que nos vamos encontrar todos. Gosto sempre de ver os meus pais e o resto da minha família.*
>
> *Bom, vou terminar aqui. Vemo-nos em setembro.*
>
> *Até lá, muitos beijinhos da tua amiga*
>
> *Maria e do resto da família.*

2. Responda às perguntas sobre a carta da Maria.

1. Qual é a profissão da Maria ?

_____

2. Qual acha que pode ser a profissão da Marta?

_____

3. A Maria vai encontrar a Marta? Onde?

_____

3. **A Marta recebeu a carta da amiga e leu-a ao irmão.**
Ouça-a e depois faça três perguntas aos seus colegas
sobre o conteúdo da carta.

1. _____?
   _____

2. _____?
   _____

3. _____?
   _____

4. Onde é que você passou as últimas férias?
Fale um pouco sobre o que fez nas férias.

5. Coloque estas formas verbais no local correto.

1.

soube   pudeste   houve   quis   souberam   puderam
soube   quis   pude   soubeste   pôde   quisemos
quiseram   soubemos   pudemos   quiseste

	saber	haver	querer	poder
eu				
tu				
você, ela, ele				
nós				
vocês, elas, eles				

2. Leia as formas de cada verbo.

3. Agora, responda às perguntas só com o verbo.

a. Soubeste o que aconteceu?

b. Puderam sair mais cedo ontem?

c. Ontem houve algum filme interessante na televisão?

d. Você quis sair com ela no domingo passado?

e. Já souberam o preço da viagem?

f. Hoje vocês quiseram ir almoçar fora?

g. Pudeste usar a piscina do hotel?

h. Houve algum problema com o carro?

i. Ele quis ir contigo nas férias?

j. Você soube o caminho para Troia?

6. Aqui está uma lista de atividades. Assinale as que já fez e as que ainda não fez. Faça perguntas aos colegas sobre cada uma.

Exemplo

Já escreveste um livro?

Já		Não	Ainda não
	escrever um livro		
	plantar uma árvore		
	fazer um cruzeiro		
	aprender uma língua		
	ver um filme português		
	subir uma montanha a pé		
	provar uma comida exótica		
	fazer um discurso		
	preparar uma festa para mais de 10 pessoas		
	ler um livro em português		
	ir a outro continente		
	ter um animal doméstico		
	fazer algum desporto radical		
	fazer mergulho		
	ganhar um prémio		
	tomar banho na praia à noite		

Falar: atividades no passado

B. Momentos marcantes na vida

1. Olhe para estas fotografias da Maria e ouça com atenção o que ela diz sobre a sua vida.

Com um ano

A minha Primeira Comunhão

Na escola com os colegas

Fim do curso

O meu casamento

A minha filha

Nasci em Lisboa em 1965 e comecei a andar com 1 ano. Aos 6 anos fui para um colégio privado e aos 8 anos fiz a Primeira Comunhão.

Aos 15 anos mudei para uma escola secundária pública e conheci muitos colegas novos. Decidi estudar Medicina e aos 18 anos entrei para a Universidade. Estudei muito e terminei o curso com 26 anos. Na Universidade conheci o António. Namorámos durante quatro anos e casámos em 1992.

Somos os dois médicos num hospital de Lisboa e moramos num apartamento perto do centro da cidade.

Em 1993 nasceu a nossa primeira filha.

Compreensão oral

2. Compreendeu o que a Maria disse?
Ouça novamente e depois escreva o que aconteceu em cada momento da vida dela.

Em 1965	
Com 1 ano	
Aos 6 anos	
Aos 8 anos	
Aos 15 anos	
Aos 18 anos	
Aos 26 anos	
Em 1992	
Em 1993	

Falar

3.

1. Na vida de uma pessoa há momentos que são essenciais. Assinale os que considera mais importantes. Acrescente outros se necessário.

O primeiro dia de escola	A entrada na Universidade
Começar a ler	A entrada na vida profissional
O dia da Primeira Comunhão	O casamento
O primeiro amor	O nascimento de um filho

2. Quais os momentos que na sua vida foram mais marcantes para si?

Gramática: pronomes pessoais complemento direto

4. Siga o exemplo e repita a pergunta, utilizando os pronomes: *me, te, o, a, nos, vos, os, as*. Tente fazer o exercício oralmente.

Exemplo

Viste o **António**?

ou

Viste-**o** ?

1. Compraste **os dicionários**?

2. Disseste **o preço** ao cliente?

3. Você leva **as crianças** consigo?

4. Trouxe **a minha carteira**?

5. Já souberam **o endereço dela**?

6. Já fizeste **as malas**?

7. Leu **este jornal**?

8. Já viu **as fotografias das férias**?

9. Já mandaste **a carta**?

10. Já pôs **o carro** na garagem?

5. Agora responda às perguntas com o _verbo_ e o _pronome pessoal de complemento direto_ adequado.

Exemplo

– Deste **os presentes** às crianças?
– Dei-**os**.

1. – Visitou o Museu Gulbenkian?
   –_____

2. – Leva-me a casa?
   –_____

3. – Limpaste o teu quarto?
   –_____

4. – Mostrou as fotografias?
   –_____

5. – Apanhou as laranjas todas?
   –_____

6. – Viu-nos na praia de Troia?
   –_____

7. – Encontrou os seus amigos?
   –_____

8. – Trouxeste os livros que te pedi?
   –_____

9. – Entregou a carta à minha amiga?
   –_____

10. – Tomou o comprimido?
    –_____

11. – Leste a carta da Marta?
    –_____

12. – Viste o filme ontem?
    –_____

13. – Teve o exame na semana passada?
    –_____

14. – Deu a carta à Marta?
    –_____

6. O Paulo mora em Guimarães, no norte de Portugal, e durante as férias de verão vai passar uma semana em Lisboa com uma amiga. Eles fizeram estes planos para essa semana:

- Ir ao Museu de Arte Antiga;
- Ir ao Museu do Azulejo;
- Visitar o Parque das Nações e o Oceanário;
- Ir de comboio a Sintra e visitar o Palácio Real;
- Passar um dia na Costa da Caparica;
- Ir a Belém e visitar o Mosteiro dos Jerónimos;
- Ver uma exposição no Centro Cultural de Belém;
- Ir uma noite aos bares das Docas;
- Passear por Alfama e subir ao Castelo de S. Jorge;
- Fazer uma visita ao Jardim Zoológico;
- Ir ao Centro Comercial Colombo.

**Agora estamos em setembro e as aulas vão recomeçar.
O que é que ele fez na semana que passou em Lisboa?**

Falar: acontecimentos no passado

7.

1. Teste a sua memória. Lembra-se...

- Quando é que foi à praia pela última vez?
- Qual foi o último filme que viu?
- O que é que comeu ontem ao jantar?
- Qual foi o último livro que leu?
- Quando é que viu o/a seu/sua melhor amigo/a pela última vez?
- A que horas é que se deitou ontem?
- A quem é que escreveu um postal ou uma carta pela última vez?
- Qual foi a última vez que recebeu amigos em casa?
- Onde passou o último fim de semana?
- O que comeu ontem ao pequeno-almoço?
- Quando é que andou de avião pela primeira vez?
- Onde conheceu o/a seu/sua melhor amigo/a?

2. Lembra-se de alguns acontecimentos importantes a nível mundial ou nacional e que foram notícia durante o ano passado? Tente lembrar-se de alguns.

Ler informação e comprender

8. Verão no estrangeiro

Os portugueses não viajam muito para outros países da União Europeia nas suas férias. Isto em comparação, por exemplo, com os luxemburgueses ou os belgas, que são os que, segundo estas estatísticas, mais viajam.

Pessoas que viajam para outros países da União Europeia (%)

Luxemburgo	91
Bélgica	74
Alemanha	73
Holanda	67
Áustria	65
Dinamarca	59
Irlanda	58
Suíça	53
Grã-Bretanha	52
Finlândia	32
Itália	25
França	22
Portugal	19
Espanha	10
Grécia	8

Falar

1. O seu país encontra-se nesta lista? Concorda com a percentagem apresentada sobre ele? Faça um comentário sobre o seu resultado.

2. Se o seu país não se encontra nesta lista, diga qual pensa que é a percentagem e justifique-a.

3. E você? Qual é a sua posição dentro deste quadro? Costuma viajar para fora do seu país? Que países é que já visitou?

4. Quais foram as suas melhores férias? Para onde foi e o que fez? O que é que elas tiveram de especial?

EXPRESSÕES

Tive muitas saudades.
... como é habitual.
... como de costume.
Vais, não vais?

Bom, vou terminar aqui.
Foi giro!
É claro que…

C. Fonética

Em português a letra <u>o</u> pode ter diferentes sons.
Ouça as palavras e repita-as.

moda	dormimos	agosto
roda	nado	toda
nórdica	moderno	novo
soma	cozinha	ovo
dorme	podemos	mosca

Apêndice Gramatical

1 Pretérito Perfeito simples – verbos irregulares

	saber	haver	poder	querer
eu	soube		pude	quis
tu	soubeste		pudeste	quiseste
você/ela/ele	soube	houve	pôde	quis
nós	soubemos		pudemos	quisemos
vocês/elas/eles	souberam		puderam	quiseram

2 Pronomes pessoais de complemento direto

eu	**me**
tu	**te**
você/ela/ele	**o, a**
nós	**nos**
vocês	**vos**
vocês/elas/eles	**os, as**

Exemplos

Ontem comprei um livro e ofereci-**o** à minha irmã.
Hoje perdi o autocarro, mas um amigo levou-**me** para a escola no carro dele.
Anteontem vi a Joana, mas ontem não **a** vi.*

***Nota:** Os pronomes de complemento direto, tal como os de complemento indireto e reflexos, ficam antes do verbo depois de:

- **interrogativos;**
- **algum; nenhum; pouco; todo; tudo; nada; alguém; ninguém;**
- **já; ainda; também; só; não; nunca; que; onde...**

Jornalista precisa-se.

- Apresentar características profissionais
- Falar dos objetivos e interesses profissionais
- Falar da experiência profissional
- Definir perfis profissionais adequados
- Enfrentar uma entrevista
- Fazer e responder a inquéritos de rua
- Características profissionais
- O *Curriculum Vitae*
- Perfil profissional
- Uma entrevista
- Inquéritos
- *andar a + Infinitivo*
- *costumar + Infinitivo*
- Partícula apassivante: *se*
- Pronomes relativos
- Advérbios em -*mente*
- Pronomes pessoais de complemento direto (exceções)
- *e*

Jornalista precisa-se.

A. Falar das características profissionais

1.

> **Jornalista precisa-se**
> **M / F**
>
> Semanário precisa de jornalista com experiência
> de trabalho na imprensa escrita.
> Resposta com *curriculum vitae* para o
> n.º 2345 deste jornal.

A Teresa é uma jovem que respondeu a um anúncio para jornalista e chamaram-na para uma entrevista.

1. **Sem olhar para o texto, ouça a entrevista com atenção.**

2. **Depois, ponha as partes da entrevista na ordem correta.**

A – Já fez alguma reportagem de carácter internacional?

– Não, porque o jornal onde trabalho não se interessa por reportagens desse tipo. Mas viajei por vários países e o meu trabalho de final de curso foi uma reportagem sobre um tema social: a desigualdade a nível profissional entre homens e mulheres. Tive que fazer muito trabalho de investigação e muitas entrevistas. Gostei imenso dessa experiência e acho que o vosso jornal e a vossa revista têm mais este tipo de reportagens.

B – Bom dia.

– Bom dia. Faça o favor de se sentar.

– Com licença.

– Sou o Fernando Reis e sou o chefe de redação deste jornal. Como está?

– Bem, obrigada. Sou a Teresa Cruz.

C – Bom, Teresa. Se calhar ainda vamos trabalhar juntos. Até ao fim de semana nós dizemos-lhe alguma coisa.

– Fico à espera. Então, muito bom dia e obrigada.

– Bom dia, Teresa.

D – Ora, tenho aqui a sua carta e o seu currículo. Diz aqui que fez o curso de Comunicação Social.

– Sim, fi-lo na Universidade de Coimbra e terminei-o há dois anos, com a média de 15. Agora ando a fazer um curso de pós-graduação.

– Muito bem. A nível de línguas estrangeiras, domina perfeitamente o inglês, o alemão e o francês, não é verdade?

– Sim. Os meus avós, da parte da minha mãe, são franceses e por isso sempre passei férias com eles e eles não falam português. Além disso, fiz todo o ensino secundário no Colégio Alemão.

E – Sim, de facto é verdade. Diga-me uma coisa: não tem qualquer problema em viajar e em fazer trabalhos noutros países?

– Não, pelo contrário. Isso é uma coisa que adorava fazer.

F – Muito bem. A nível da sua experiência profissional, trabalhou num jornal diário muito conhecido durante dois anos. Ainda lá trabalha?

– Sim, ainda continuo lá.

– Porque é que quer mudar de jornal?

– Bem, porque preferia trabalhar num semanário. Gostava de poder escrever reportagens sobre temas interessantes e importantes para a opinião pública, em vez de pequenos artigos sobre notícias do dia a dia.

	Parte (Letra)
1º	
2º	
3º	
4º	
5º	
6º	

Ordenar partes do diálogo

3. Agora ouça novamente a entrevista e leia-a com um colega.

Ouvir e ler

Compreensão do diálogo: ideia principal de cada parte

2. Qual é a ideia principal de cada parte da entrevista? Coloque a letra da parte da entrevista adequada a cada ideia.

☐ Habilitações e conhecimento de línguas.

☐ Experiência profissional e razões para mudar de jornal.

☐ Despedida.

☐ Interesses profissionais.

☐ Gosto de viajar.

☐ Apresentação.

Compreensão do diálogo: completar currículo

3. Este é o currículo da Teresa. Preencha as partes que faltam com a informação do diálogo.

Curriculum vitae

Nome: _____   Maria Sanches Boubot _____

_____ :   Rua Teles da Silva, n.º 5, 8.º Esq.
1100 024-Lisboa

_____ :   214443333

Estado _____ :   Solteira

Data de _____ :   23 de maio de 1992

Habilitações Académicas: – Colégio _____ até ao 12.º Ano
– Curso de _____ , na
_____ de Coimbra com _____ final de
15 valores
– 5 anos no Instituto Britânico.

Línguas: Bom domínio de _____ , _____ e _____

Experiência _____ :   _____ no jornal Correio Diário _____ 2010

Expressão oral: apresentar o perfil profissional e académico

4. Siga a ordem do currículo da Teresa e fale do seu próprio currículo. Comece assim:

– Chamo-me … e moro em …

5. Simulação

Imagine que quer mudar de emprego. Simule uma entrevista com um dos diretores da nova empresa. Siga o exemplo da entrevista da Teresa. A entrevista depende da sua profissão, mas não se esqueça de referir:

- Porque quer mudar de empresa;
- Experiência profissional relevante;
- Interesses profissionais;
- Disponibilidade para começar a trabalhar.

6. Procure no diálogo <u>sinónimos</u> das seguintes palavras ou expressões:

Sinónimos	
acabei	
assuntos	
muitos	
em relação a	
gostava imenso	
possivelmente	
género	

7. Qual o perfil profissional adequado?

Aqui tem algumas profissões. Que características é que acha que cada uma exige?

Pode usar algumas características da lista que está depois do quadro. Justifique as suas opiniões.

Guia turística	Jogador de futebol	Educadora de infância	Médico	Político

Jornalista precisa-se.

Características para um perfil profissional:

sensível	boa apresentação
paciente	boa preparação física
sociável	boa capacidade de argumentação
comunicativo	interesse pelos outros
lutador	boa voz
extrovertido	boa dicção
desinibido	preparação técnica
corajoso	capacidade de persuasão
sério	divertido
decidido	sangue frio

Falar: defender opiniões

8. A Teresa fez um trabalho sobre a desigualdade a nível profissional entre homens e mulheres.

Acha que há profissões próprias para homens e profissões para mulheres?
Se acha que sim, faça uma lista e justifique a sua opinião.
Depois compare a sua lista com as dos seus colegas.

Profissões para homens	Profissões para mulheres

Responder a questionários

9.

1. Concorda com estas afirmações ?

	SIM	NÃO
a. Os homens devem partilhar os trabalhos de casa.	☐	☐
b. As mulheres devem ter um emprego, mesmo quando têm filhos.	☐	☐
c. Só as mulheres que trabalham têm independência económica.	☐	☐

d. A sociedade ainda vê a mulher essencialmente como mãe e dona de casa. ☐ ☐

e. Quando a mulher trabalha fora de casa, há mais problemas para o casamento e para os filhos. ☐ ☐

f. Um homem pode educar os filhos tão bem como a mulher. ☐ ☐

Falar: comparar opiniões e justificá-las

2. Discuta com os seus colegas estas afirmações e justifique a sua opinião.

10. **Substitua as partes sublinhadas pelos pronomes *o, a, os, as* e faça as alterações necessárias.**

Gramática: pronomes pessoais de complemento direto

1. Fiz o curso com média de 15.

_____

2. Ontem enviámos as cartas.

_____

3. Discutiram o assunto?

_____

4. Preferimos este jornal.

_____

5. Eles dão a entrevista às 10:00.

_____

6. Põe a carta no correio, por favor.

_____

7. Ela anda a fazer o trabalho final.

_____

8. Trazem os vossos passaportes?

_____

9. Eles costumam pagar o salário hoje?

_____

10. Ela faz a reportagem sobre esse tema.

_____

B. Inquéritos de rua

Compreensão oral

1. Os portugueses são grandes utilizadores de telemóveis. Alguns até os usam demasiado e, às vezes, as contas são difíceis de pagar.

Ouça o inquérito que este jovem fez a uma senhora na rua.

– Bom dia, minha senhora. Andamos a fazer um inquérito sobre o uso dos telemóveis. Importa-se de nos responder a algumas perguntas?

– Não, não me importo.

– Acha que os telemóveis são úteis?

– Sim, acho que sim.

– Acha que os telemóveis têm uma maior utilidade a nível profissional ou a nível privado?

– Acho que são importantes em ambos.

– A senhora tem telemóvel?

– Tenho.

– Quando quer comunicar com os seus familiares e com os amigos costuma utilizar mais o telemóvel ou o telefone normal?

– Acho que utilizo mais o telemóvel.

– O telemóvel ajuda-a na sua profissão?

– Humm... Não, não muito.

– Já esteve em alguma situação em que o telemóvel foi imprescindível?

– Por acaso já estive. Há dois ou três meses tive um problema com o meu carro na autoestrada para o Porto. Telefonei para o serviço de assistência em viagem da minha seguradora e rapidamente tive ajuda.

– Uma última pergunta. Acha que é mais caro telefonar do telemóvel?

– Pelo contrário. Acho que o telefone normal fica mais caro que o telemóvel.

– Muito obrigado pelo seu tempo e um bom dia para a senhora.

– Bom dia.

2. Agora leia o inquérito com um colega ou com o seu professor.

3. No seu país os telemóveis também são muito populares? Refira as <u>vantagens</u> e <u>desvantagens</u> do seu uso.

4. Simulação

Agora imagine que trabalha numa empresa que faz estudos de mercado. A sua empresa tem de fazer um estudo sobre:

- os transportes que as pessoas utilizam mais quando vão trabalhar e porque os usam;
- a opinião que têm sobre os meios de transporte existentes;
- o que esperam de diferente no futuro.

Você é o responsável pelo inquérito. Que perguntas é que vai fazer? Selecione as perguntas que considera importante fazer num inquérito sobre esta situação. Depois faça o inquérito a um colega.

Inquérito

1. _____
   _____

2. _____
   _____

3. _____
   _____

4. _____
   _____

5. _____
   _____

6. _____
   _____

7. _____
   _____

8. _____
   _____

EXPRESSÕES

Faça o favor de se sentar.
Ando a fazer um curso.
Não, pelo contrário.
Bem, porque...

Sim, de facto é verdade.
..., não é verdade?
Importa-se de responder...?
Não, não me importo.

C. Fonética

 A letra e tem diferentes sons.
Ouça os sons e as palavras e repita-as.

é	cedo	restaurante
Sé	comer	secretária
festa	dedo	levamos
testa	caneta	trouxe
meta	mesa	come
levo	fazemos	telefone

Escreva mais três palavras para cada som da letra e e leia-as em voz alta.

1 *andar a* + Infinitivo

Usa-se para ações que começaram no passado e que continuam ou se repetem até ao momento presente e que certamente vão continuar.

Exemplos	**Ando a ler** um livro muito interessante.
	(Comecei a ler o livro no passado e ainda estou a ler.)
	Ela **anda a tirar** um curso de fotografia.
	(Já começou o curso e ainda o está a fazer.)

2 *costumar* + Infinitivo

Usa-se para ações habituais.

Exemplos	**Costumamos jogar** ténis aos sábados.
	(Habitualmente jogamos ténis aos sábados.)
	Costumas ler esta revista?
	(Lês habitualmente esta revista?)

3 Partícula apassivante: *se*

Usa-se quando o sujeito da ação é indefinido ou irrelevante. O verbo depende do complemento direto, isto é, conjuga-se na 3.ª pessoa do singular ou plural.

Exemplos	Em Portugal c<u>omem</u>-**se** <u>muitos doces.</u>
	<u>Bebeu</u>-**se** <u>todo o chá.</u>
	<u>Vendem</u>-**se** <u>apartamentos.</u>
	<u>Fazem</u>-**se** <u>algumas sandes</u> e <u>compra</u>-**se** <u>um bolo.</u>

4 Pronomes relativos: *que; onde*

Exemplos	Estou a ler o livro **que** comprei ontem.
	O homem **que** está sentado ali é o pai do Paulo.
	O quarto **onde** tu dormiste é muito melhor do que o meu.

5 Advérbios terminados em *-mente*

Formam-se a partir dos adjetivos.

Exemplos	(calmo – calma**mente**)
	Ele entrou **calmamente** em casa.
	(frequente – frequente**mente**)
	Nós vamos **frequentemente** a esse restaurante.

Apêndice Gramatical

6 Pronomes pessoais de complemento direto (exceções)

Casos especiais dos pronomes: _o, a, os, as_

1. Estes pronomes têm as formas **_-no; -na; -nos; -nas_** quando estão depois de verbos que terminam em:

   _-m_

   _-ão_

   _-õe_

Exemplos	Eles receberam a carta e leram **_a carta._**
	Eles receberam a carta e leram-**_na._**
	Os pais compraram os presentes e dão **os presentes** aos filhos.
	Os pais compram os presentes e dão-**_nos_** aos filhos.
	Ela traz a mala e põe **a mala** em cima da mesa.
	Ela traz a mala e põe-**_na_** em cima da mesa.

2. Estes pronomes têm as formas **_-lo; -la; -los; -las_** quando estão depois de verbos que terminam em :

   _-r_

   _-s_

   _-z_

   Nota: Estas letras (**_r, s, z_**) caem.

Exemplos	Adoro este bolo. Vou comer **o bolo** já.
	Adoro este bolo. Vou comê-**lo** já.
	A sala está sujíssima, mas nós limpámos **a sala** ontem.
	A sala está sujíssima, mas nós limpámo-**la** ontem.
	Ele compra sempre o jornal e traz **o jornal** para o escritório.
	Ele compra sempre o jornal e trá-**lo** para o escritório.

3. Exceções a estas regras:

   - verbo **querer** na forma **_quer_**

     quere-o; quere-a; quere-os; quere-as

     Ele **quer** <u>a salada.</u>

     Ele **quere-a.**

   - verbo **ter** na forma **tens**

     tem-lo; tem-la; tem-los; tem-las

     Tu **tens** <u>a minha caneta.</u>

     Tu **tem-la.**

Quando eu era criança...

- Falar de ações habituais no passado
- Expressar agrado ou desagrado
- Analisar as dificuldades de adaptação a um novo país ou cultura
- Ações habituais no passado
- Problemas de adaptação a um novo país ou cultura
- Palavras que podem provocar confusão
- Pretérito Imperfeito: ações habituais no passado
- **antigamente; dantes**
- *x*

Quando eu era criança...

A. Falar de ações habituais no passado

1.

> A família Silva foi viver para Berlim há quatro anos. Antes, a famíla Silva vivia na Ericeira, uma vila situada na costa de Portugal. O Sr. Silva e a mulher trabalham num hotel: ele é cozinheiro e ela trabalha na lavandaria. A filha, a Clara, tem 14 anos e adora escrever. Há algum tempo escreveu uma carta para uma revista portuguesa sobre o tema: "Os problemas de adaptação dos emigrantes".
> No ponto 2 encontra uma parte da sua carta.

1. **Antes de ler a carta, leia estas expressões sobre a família Silva. Acha que são sobre a sua vida em Portugal ou na Alemanha?**

	Em Portugal	Na Alemanha
• vida fora de casa	☐	☐
• muitos amigos	☐	☐
• andar de metro	☐	☐
• ir à praia	☐	☐
• muito frio	☐	☐
• dar uma volta depois do jantar	☐	☐
• passear pelos jardins	☐	☐
• problemas com a língua	☐	☐
• ir ao café à noite	☐	☐

2.

> *Quando vivíamos na Ericeira, a nossa vida era muito diferente. Lá, eu tinha muitos amigos e, quando o tempo estava bom, íamos à praia depois das aulas. Íamos a pé para todo o lado e almoçávamos sempre em casa. À noite, depois do jantar, dávamos uma volta pela vila, os meus pais iam ao café e eu brincava com os meus amigos. Tínhamos uma vida mais fora de casa do que aqui em Berlim.*
> *Aqui normalmente está muito frio e fica noite mais cedo. Além disso, aqui não temos muitos amigos. Por isso, à noite ficamos em casa e vemos televisão. A língua foi o maior problema. Quando chegámos, não sabíamos alemão e foi muito difícil aprender esta língua tão diferente do português. Sentimos muito a falta da praia, mas, às vezes, vamos passear até aos lagos ou pelos jardins de Berlim que são muito bonitos.*
> *Aqui não temos carro e não se pode ir a pé para todo o lado numa cidade tão grande como Berlim. O metro é o nosso transporte habitual. Ao almoço não podemos vir a casa. Por isso, os meus pais almoçam no hotel e eu como na escola. A comida aqui é muito diferente da de Portugal, mas em casa os meus pais preparam refeições tipicamente portuguesas.*
> *Temos muitas saudades dos nossos amigos e da nossa família, mas nas férias voltamos sempre à Ericeira e podemos rever todos.*

3.

a. Que outros problemas é que acha que a família Silva sentiu com a mudança de país?

b. Imagine que a família Silva se mudava para o seu país, concretamente para a sua cidade, vila ou aldeia. Quais eram as dificuldades de adaptação que você pensa que eles sentiam? O que é que acha que eles tinham de fazer para uma melhor adaptação?

c. Existem muitos imigrantes no seu país ou na sua cidade? De onde? Quais são os que acha que sentem maiores dificuldades?

Porquê?

d. Já viveu alguma experiência semelhante? Já alguma vez sentiu dificuldades de adaptação a uma outra cultura?

2.

1. O *Pretérito Imperfeito* usa-se para falar de ações habituais no passado. Conjugue oralmente os verbos que estão dentro do quadro com as terminações do Imperfeito.

Pretérito imperfeito		
	-ar	**-er -ir**
eu	**-ava**	**-ia**
tu	**-avas**	**-ias**
você/ela/ele	**-ava**	**-ia**
nós	**-ávamos**	**-íamos**
vocês/elas/eles	**-avam**	**-iam**

comer	ir	andar
preferir	usar	fazer
passar	ler	ouvir

2. Faça uma frase com cada verbo sobre ações habituais no passado.

Antigamente / Dantes

a. _____.

b. _____.

c. _____.

d. _____.

e. _____.

f. _____.

g. _____.

h. _____.

i. _____.

Gramática: verbos irregulares no Imperfeito

3. Complete o quadro dos verbos irregulares no *Imperfeito*.

	Verbos irregulares			
	ser	ter	vir	pôr
eu	*era*			
tu		*tinhas*		
você				
ela/ele			*vinha*	
nós				*púnhamos*
vocês				
elas/eles				

Gramática: usar verbos no Imperfeito

4. Este é o João quando era criança e agora que tem 20 anos.

criança ——————————→ jovem

Complete com os verbos no *Imperfeito*.

Quando era criança...

_____ com os pais.

_____ óculos.

_____ num colégio de padres.

_____ um aluno razoável.

_____ férias com a família.

_____ muito tempo para brincar.

_____ nos arredores da cidade.

_____ a pé para a escola.

_____ futebol com os colegas.

_____ livros aos quadradinhos.

Agora...

vive sozinho.

usa lentes de contacto.

anda na Universidade.

é um aluno excelente.

passa férias com os amigos.

tem o tempo muito ocupado.

vive perto da Universidade.

vai de carro para a Universidade.

joga ténis com um amigo.

lê o jornal.

3. E você? Como era e o que fazia quando era criança?
Use os verbos no *Imperfeito*.

4.

1. Ouça o que estas duas pessoas faziam quando eram crianças.

2. Depois, oiça uma segunda vez e complete os espaços com os verbos no *Imperfeito*.

A

Cláudia

Quando eu _____ criança, _____ com os meus pais numa vila perto da cidade do Porto. Os meus pais _____ uma quinta com muitos animais. Eu _____ de ajudar o meu pai a tratar dos animais. Quando _____ da escola, _____ com os meus pais e com os meus irmãos e _____ toda a tarde na quinta. Às vezes, _____ de bicicleta e _____ à bola. Quando o tempo _____ bom, _____ fora de casa. _____ bons tempos!

B

Celeste

Quando eu _____ na escola primária, _____ com os meus pais no centro de Lisboa. _____ para o colégio de carrinha e _____ lá todo o dia. Só _____ para casa às 6 horas da tarde. Então, _____ os trabalhos de casa, _____ um duche, _____ e _____ para a cama, porque no dia seguinte _____ de me levantar muito cedo.

3. Faça perguntas sobre cada uma das jovens para as seguintes respostas.

A **1.** _____?

Vivia numa vila perto do Porto.

2. _____?

Tinham muitos animais.

3. _____?

Não. Ela tinha irmãos.

4. _____?

Quando o tempo estava bom.

B 1. _____?

Não, andava na escola todo o dia.

2. _____?

Ia de carrinha.

3. _____?

Quando chegava a casa, ela fazia os trabalhos de casa.

4. _____?

Porque no dia seguinte tinha de se levantar muito cedo.

5. **As cidades modernas são muito diferentes das cidades de há 60 ou 70 anos atrás.**

Com certeza que a modernidade trouxe _vantagens_ e _desvantagens_.

A

B

1. **Refira algumas _vantagens_ e _desvantagens_ de ambas.**
   As palavras que estão dentro do quadro podem ajudá-lo/a em relação à vida numa cidade há 70 anos, mas existem muitos outros aspetos que pode referir. Não se esqueça de usar o *Imperfeito* para falar das características da cidade de há 70 anos.

barato	poluição	seguro	trânsito
barulho	puro	tempo	família

2. **Você prefere viver numa cidade moderna e desenvolvida ou numa aldeia ou vila? Porquê?**

3. **Lembra-se de como era a sua cidade ou vila quando você era criança? Refira alguns aspetos que agora são completamente diferentes.**

Expressão oral

B. As férias

1. Agora a Joana vive em Berlim com os pais, mas continua a vir à Ericeira para passar as férias. Ouça o que ela faz nas férias.

Eu *passo* sempre as férias na Ericeira. De manhã, *saio* de casa com os meus pais e *vamos* para a praia. Lá, *encontramos* os nossos amigos e alguns familiares.
Enquanto os meus pais *conversam* com todas as pessoas que *conhecem*, eu *dou* uma volta pela praia com os meus amigos e *tomamos* alguns banhos. A água *é* fria, mas *é* muito divertido mergulhar com aquelas ondas.

Pelas 13:30, *voltamos* para casa e *almoçamos* quase sempre peixe grelhado com batatas cozidas e salada. Como a Ericeira *é* uma vila de pescadores, o peixe *é* sempre fresquíssimo. Depois do almoço, *vamos* ao café e mais uma vez *encontramos* os amigos na esplanada. De seguida, *vamos* normalmente a casa dos meus avós e às 5 horas eu *vou* a casa de uma amiga que *tem* uma piscina e *divertimo-nos* imenso.

1. Agora leia o texto, mas substitua as formas verbais do Presente do Indicativo pelo Imperfeito. Comece assim:

"Antigamente eu ***passava*** sempre as férias na Ericeira. ..."

2. E você? Lembra-se de onde passava as suas férias quando era criança? O que é que fazia? Com quem ia?

2. Algumas palavras causam problemas, porque estão muito próximas de outras que noutras línguas têm sentidos diferentes.
Faça uma frase exemplificativa do significado de cada uma das palavras que se seguem. Pode usar o dicionário.

1. oficina / escritório

_____

_____

2. esquisito / raro

_____

_____

3. tenda / loja

_____

_____

4. avariado / roto

_____

_____

5. pasta / massa

_____

_____

6. vestido / robe

_____

_____

7. cabelo / pelo

_____

_____

8. realizar / perceber

_____

_____

9. montar / subir

_____

_____

3.

1. Sabe os nomes destes animais?

_____   _____   _____   _____   _____   _____

_____   _____   _____   _____   _____   _____

2. Refira um ou mais adjetivos ou características adequadas para cada um destes animais. A lista seguinte pode ajudá-lo. Pode usar o dicionário.

meigo	com personalidade	colorido
repelente	feroz	obediente
bonito	herbívoro	lento
nojento	imponente	rápido
fofo	inteligente	roedor

3. De quais é que gosta mais?

– Adoro _____

– Gosto de _____

– Detesto _____

– Não gosto muito de _____

4. Quando era criança tinha algum animal de estimação? Se tinha, fale um pouco sobre ele ou eles.

EXPRESSÕES

Sentimos muito a falta da praia.	Detesto…
Já alguma vez…?	Não gosto muito de…
Adoro…	Quando eu era criança…

C. Fonética

 A letra x tem muitos sons diferentes. Ouça as seguintes palavras e repita-as.

ks	z	ch	s
táxi	exato	excelente	máximo
anexo	êxito	texto	auxílio
sexo	exame	sexto	próximo
fixo	exercício	peixe	trouxe

Apêndice Gramatical

1 Pretérito Imperfeito do Indicativo

Usa-se para ações habituais no passado.

	Verbos regulares		
	-ar	-er	-ir
eu	-ava	-ia	-ia
tu	-avas	-ias	-ias
você/ela/ele	-ava	-ia	-ia
nós	-ávamos	-íamos	-íamos
vocês/elas/eles	-avam	-iam	-iam

	Verbos irregulares			
	ser	ter	vir	pôr
eu	era	tinha	vinha	punha
tu	eras	tinhas	vinhas	punhas
você/ela/ele	era	tinha	vinha	punha
nós	éramos	tínhamos	vínhamos	púnhamos
vocês/elas/eles	eram	tinham	vinham	punham

Exemplos

Antigamente, as pessoas *andavam* mais a pé.
No ano passado, eu *comia* todos os dias um iogurte ao pequeno-almoço.
Quando tu eras criança, *deitavas*-te sempre muito cedo.

Unidade de Revisão 4

1. Ponha as frases na <u>negativa</u> e substitua as partes sublinhadas pelo pronome adequado.

Exemplo

– Escreve <u>à tua amiga</u>!
– Não **lhe** escrevas!

1. – Atende <u>o telefone</u>!

– _____ !

2. – Envie o <u>seu currículo</u>!

– _____ !

3. – Põe <u>a carta</u> no correio!

– _____ !

4. – Procure <u>o seu nome</u> nessa lista!

– _____ !

5. – Telefone <u>para a diretora</u>!

– _____ !

6. – Traz <u>o cão</u> para aqui, por favor.

– _____ !

7. – Segue <u>estas instruções</u>!

– _____ !

8. – Preencha <u>esse formulário</u>, por favor.

– _____ !

9. – Diz os resultados <u>aos candidatos</u>!

– _____ !

10. – Usa <u>o telemóvel</u>!

– _____ !

Unidade de Revisão 4

2. **Responda às perguntas como no exemplo. Use o verbo <u>sempre na 1.ª pessoa</u>.**

Exemplo

– Foi ao cinema ontem?
– **_Fui, fui._**

1. – Fizeste a entrevista?

– _____.

2. – Soubeste os resultados?

– _____.

3. – Deu a comida ao seu peixe?

– _____.

4. – Vai responder ao anúncio?

– _____.

5. – Pôs o jornal em cima da mesa?

– _____.

6. – Leu os anúncios da secção de emprego?

– _____.

7. – Veio à reunião?

– _____.

8. – Viste o filme de ontem?

– _____.

3. **Faça perguntas para as seguintes respostas. Não se esqueça de utilizar as <u>preposições</u>.**

Exemplo

– Eles vieram **_pela autoestrada._**
– **_Por onde_** é que eles vieram?

1. – Todos falaram **_de ti_**.

– _____!

2. – Esta carta é **_para a minha amiga._**

– _____!

3. – Ela ligou **_para o escritório._**

– _____!

4. – Nós fomos ao cinema **_com os nossos colegas._**

– _____!

5. – Eles mostraram o anúncio *__à Daniela.__*

  – _____ !

6. – Ontem li este livro *__até à página 97.__*

  – _____ !

4. Adivinhe o que é.

1. Um animal doméstico que tem um lindo pelo e umas unhas afiadas.
   G __ __ __

2. A pessoa que vai viver para outro país.
   E __ __ __ __ __ __ __ __

3. Um animal muito lento e que tem a casa às costas.
   __ __ __ T __ __ __ __ __

4. O papel que tem todas as informações sobre a nossa formação e experiência profissional.
   __ __ R __ __ __ __ __ __

5. O conjunto de questões que servem, por exemplo, para fazer um estudo de mercado.
   I __ __ __ __ __ __ __ __

5. Ponha as frases em ordem.

☐ **a)** **Despimo**-nos, **vestimos** os nossos fatos de ginástica e durante uma hora **fazemos** aeróbica.

☐ **b)** Ao fim da tarde, **voltamos** para casa, mas à noite **encontramo**-nos com os nossos amigos para uma noite divertida.

☐ **c)** Depois, **saio** de casa e **vou** para o ginásio.

☐ **d)** Quando **acabamos** a aula, **almoçamos** juntas no restaurante do ginásio.

☐ **e)** Por isso, **levanto**-me um pouco mais tarde e **tomo** o pequeno-almoço calmamente.

☐ **f)** À tarde, **vamos** ao cinema, **passeamos** pelo centro comercial e **vemos** as montras.

☐ **g)** Lá, **encontro**-me sempre com a minha amiga Paula.

☐ **h)** Ao sábado não **trabalho**.

6. Agora reescreva o texto começando com:

No sábado passado, _____

_____

_____

_____

_____

_____

_____

_____

_____

_____

7. Volte a escrevê-lo começando com:

Antigamente _____

_____

_____

_____

_____

_____

_____

_____

_____

_____

_____

8. Junte as frases, utilizando as formas comparativas: <u>tão...como</u>, <u>tanto... como</u>, <u>mais...do que</u>.

Exemplo

O cão é obediente. O gato é menos obediente.
O cão é *mais* obediente *do que* o gato.

1. O salário de um médico é bom. Mas o salário de uma rececionista não é.

_____

2. Eles trabalham oito horas por dia. Eu também.

_____

3. Esta rua é muito barulhenta. Aquela também é.

_____

4. A minha vizinha de cima fala muito. O porteiro também fala muito.

_____

5. O filme que eu vi ontem era grande. O filme que nós vimos no sábado passado não era.

_____

9. Junte cada adjetivo da coluna da esquerda ao equivalente à direita.

1. fofo	**a.** repelente
2. imprescindível	**b.** absolutamente necessário
3. nojento	**c.** desinibido
4. peludo	**d.** aquele que luta para conseguir o que quer
5. extrovertido	**e.** diz-se de algo que consideramos muito querido
6. lutador	**f.** que tem muito pelo

10. Qual é o contrário?

indeciso	≠	
chato	≠	
paciente	≠	
perigoso	≠	
rápido	≠	
feio	≠	

UNIDADE 1

A.

3. Ouça e complete o diálogo.

A. *Boa* <u>tarde</u>! *<u>Sou</u> o João. Como <u>se</u> chama?*
B. *<u>Chamo</u>-me Pierre.*
A. *De <u>onde</u> é você, Pierre?*
B. *<u>Sou</u> de Paris. E você?*
A. *Eu <u>sou</u> <u>de</u> Lisboa.*

8. Ouça as perguntas e responda.

1. *Como é que ela se chama?*
2. *Qual é a profissão dela?*
3. *Onde é que ela mora?*
4. *De onde é a Marta?*
5. *Ela é francesa?*

11.
3.
Escreva os números que vai ouvir

um, quinze, dois, três, quatro, dezasseis, dezassete, cinco, seis, sete, nove, dez, onze, dezanove, doze, treze, zero, catorze, dezoito, oito, vinte

B.

3. Complete os seguintes textos.

1.
A. *Olá! <u>Chamo-me</u> Miguel. <u>Sou</u> português e <u>moro</u> <u>em</u> Sintra. Sou médico <u>em</u> Lisboa e gosto de jogar ténis. A minha mulher <u>é</u> italiana, mas <u>fala</u> português <u>muito</u> bem.*
B. *Bom dia! <u>Sou</u> a nova professora de português e <u>chamo-me</u> Rita. Eu e a minha família <u>somos</u> do Porto. Os meus alunos <u>são</u> muito simpáticos e são todos <u>estrangeiros</u>.*

6. Assinale a frase que ouviu.

1. *a) Ela é de Portugal.*
2. *b) Como te chamas?*
3. *b) Mora em Lisboa.*
4. *b) Sou da Alemanha.*

5. *a) Como está?*
6. *b) Vocês falam português?*

UNIDADE 2

A.

5.
2. Ouça e escreva os números.

quarenta e cinco, setenta e sete, trinta e dois, dezassete, vinte e dois, cinquenta e nove, noventa e quatro, catorze, oitenta e sete, doze, três, sessenta e oito, cento e dez, cento e trinta, cento e trinta e dois

B.

6. O Pedro encontra uma amiga na rua. Complete o diálogo.

A. *Olá, Mariana. Por aqui ?*
B. *Olá, Pedro! <u>Como</u> estás?*
A. *Bem, <u>obrigado</u>. Agora moras aqui, nesta rua?*
B. *Sim. <u>Moro</u> naquele prédio ali.*
A. *Qual <u>prédio</u>?*
B. *Aquele ali, <u>ao lado</u> da pastelaria.*
A. *Ah, sim. O teu apartamento <u>é</u> grande?*
B. *Sim, <u>é</u> muito grande: tem quatro <u>quartos</u>, <u>uma</u> sala e uma varanda bonita. Também tenho uma <u>cozinha</u> e duas <u>casas</u> de banho.*

UNIDADE 4

A.

4. Escreva os diálogos na ordem correta. Depois, ouça-os com atenção.

a. *– Olá , Vanda. Queres ir ao cinema esta noite?*
– Esta noite? Esta noite não posso. Vou jantar com os meus pais.
– Que pena! E amanhã?
– Amanhã à noite estou livre. Podemos ir.
– Ótimo!

b. – Tens algum plano para sábado?

– Não, porquê?

– Não queres ir a Sintra?

– Sim, é uma excelente ideia. A que horas vamos?

– De manhã. Assim, podemos subir a serra a pé e visitamos o Palácio da Pena.

– Está combinado.

UNIDADE 8

B.
3.

No fim de semana passado …

No sábado passado, o Joseph <u>decidiu</u> ir novamente a Sintra. <u>Convenceu</u> o amigo e <u>foram</u> os dois de comboio até à vila e <u>visitaram</u> o Palácio de Sintra. A seguir, <u>entraram</u> num café e <u>pediram</u> duas queijadas. O Joseph <u>bebeu</u> um galão escuro e o amigo preferiu uma bica. Depois, <u>subiram</u> serra a pé até ao palácio da Pena.

O Joseph <u>adorou</u> a paisagem. Ele já lá <u>foi</u> mais do que uma vez, mas gosta sempre deste passeio.

<u>Desceram</u> a serra, mas no caminho <u>encontraram</u> um pequeno restaurante e <u>decidiram</u> comer qualquer coisa. <u>Chegaram</u> a casa cansados, mas <u>descansaram</u> um pouco e <u>combinaram</u> encontrar-se outra vez às 20:30. <u>Foram</u> jantar com alguns amigos e <u>passaram</u> uma noite como muitos jovens portugueses gostam: <u>comeram</u>, <u>beberam</u>, <u>conversaram</u>, <u>dançaram</u> e, é claro, <u>voltaram</u> tardíssimo para casa. No domingo, o Joseph <u>dormiu</u> até à hora do almoço.

UNIDADE 9

A.
11.
2.

André: Está?

Rita: Está, André?

André: Sim. Quem <u>fala</u>?

Rita: Sou a Rita, a <u>amiga</u> da mãe.

André: Ah! Olá!

Rita: Então, <u>muitos</u> parabéns!

André: Obrigado.

Rita: Quantos anos <u>fazes</u>?

André: Nove.

Rita: Já? O tempo passa tão <u>depressa</u>! Olha, um grande beijinho e desejo-te um dia muito <u>feliz</u>, está bem?

André: <u>Obrigado</u>.

Rita: Então, <u>adeus</u> e dá um <u>beijinho</u> à tua mãe.

André: Adeus. Com <u>licença</u>.

3.

– Olá, André! Fala a tia Guida. Estou a telefonar para te dar os parabéns. O tio também te manda um beijinho de parabéns. Amanhã à noite telefono outra vez. Quero saber se gostaste da tua festa. Desejo-te um resto de dia muito feliz.

UNIDADE DE REVISÃO 3

9. **Ouça cada palavra com atenção e marque a que ouviu.**
De seguida, ouça cada palavra e repita-a.

1. vêm	**7.** só
2. doze	**8.** céu
3. treze	**9.** veem
4. vens	**10.** traz
5. costas	**11.** faca
6. viemos	**12.** Sé

11. Ouça os seguintes diálogos e complete as partes que faltam.

Diálogo 1

– Desculpe, <u>podia</u> dizer-me onde fica o Museu do Azulejo?
– Olhe, <u>siga</u> sempre <u>em</u> frente <u>por</u> esta rua e <u>vire</u> na primeira <u>à</u> direita. Depois, <u>desça</u> por essa rua <u>até</u> ver uma igreja do <u>lado</u> esquerdo. O Museu do Azulejo <u>fica</u> mesmo <u>ao</u> lado da igreja.
– Obrigadíssimo.
– De nada.

Diálogo 2

– Olá, Paula. Então, <u>gostaste</u> da festa <u>de</u> anos do Pedro?
– <u>Adorei</u>. Porque é que não <u>foste</u>?
– Não <u>fui</u> porque o meu pai também <u>fez</u> anos e <u>tive</u> de almoçar com toda a família. A minha mãe <u>deu</u> um almoço na casa de praia.
– Quantos anos é que o teu pai <u>fez</u>?
– <u>68</u>.
– Olha, <u>dá</u>-lhe os meus <u>parabéns</u> atrasados.

UNIDADE 11

A.
1.
B.

– Bom dia.
– Bom dia. Faça o favor de se sentar.
– Com licença.
– Sou o Fernando Reis e sou o chefe de redação deste jornal. Como está?
– Bem, obrigada. Sou a Teresa Cruz.

D.

– Ora, tenho aqui a sua carta e o seu currículo. Diz aqui que fez o curso de Comunicação Social.
– Sim, fi-lo na Universidade de Coimbra e terminei-o há dois anos, com a média de 15. Agora ando a fazer um curso de pós-graduação.
– Muito bem. A nível de línguas estrangeiras, domina perfeitamente o inglês, o alemão e o francês, não é verdade?
– Sim. Os meus avós, da parte da minha mãe, são franceses e por isso sempre passei férias com eles e eles não falam português. Além disso, fiz todo o ensino secundário no Colégio Alemão.

F.

– Muito bem. A nível da sua experiência profissional, trabalhou num jornal diário muito conhecido durante dois anos. Ainda lá trabalha?
– Sim, ainda continuo lá.
– Porque é que quer mudar de jornal?
– Bem, porque preferia trabalhar num semanário. Gostava de poder escrever reportagens sobre temas interessantes e importantes para a opinião pública, em vez de pequenos artigos sobre notícias do dia a dia.

A.

– Já fez alguma reportagem de carácter internacional?
– Não, porque o jornal onde trabalho não se interessa por reportagens desse tipo. Mas viajei por vários países e o meu trabalho de final de curso foi uma reportagem sobre um tema social: a desigualdade a nível profissional entre homens e mulheres. Tive que fazer muito trabalho de investigação e muitas entrevistas. Gostei imenso dessa experiência e acho que o vosso jornal e a vossa revista têm mais este tipo de reportagens.

E.

– Sim, de facto é verdade. Diga-me uma coisa: não tem qualquer problema em viajar e em fazer trabalhos noutros países?
– Não, pelo contrário. Isso é uma coisa que adorava fazer.

C.

– Bom, Teresa. Se calhar ainda vamos trabalhar juntos. Até ao fim de semana nós dizemos-lhe alguma coisa.
– Fico à espera. Então, muito bom dia e obrigada.
– Bom dia, Teresa.

UNIDADE 12

A.
4.

A. Quando eu _era_ criança, _vivia_ com os meus pais numa vila perto da cidade do Porto. Os meus pais _tinham_ uma quinta com muitos animais. Eu _gostava_ de ajudar o meu pai a tratar dos animais. Quando _vinha_ da escola, _almoçava_ com os meus pais e com os meus irmãos e _brincava_ toda a tarde na quinta. Às vezes, _andava_ de bicicleta e _jogava_ à bola. Quando o tempo _estava_ bom, _jantávamos_ fora de casa. _Eram_ bons tempos!

B Quando eu _andava_ na escola primária, _vivia_ com os meus pais no centro de Lisboa. _Ia_ para o colégio de carrinha e _ficava_ lá todo o dia. Só _voltava_ para casa às 6 horas da tarde. Então, _fazia_ os trabalhos de casa, _tomava_ um duche, _jantava_ e _ia_ para a cama, porque no dia seguinte _tinha_ de me levantar muito cedo.

Chave das Unidades de Revisão

UNIDADE DE REVISÃO 1

1.
1. *é; sou*
2. *Moro; é*
3. *é*
4. *falam*
5. *compram*
6. *Aceitas*
7. *escreve*
8. *decidimos; estamos*
9. *tem; chama-se*
10. *gosta*
11. *bebem*
12. *levanto-me; me deito*
13. *é; vive*
14. *parto*

2.
1. *A Susan é da Inglaterra, mas fala português.*
2. *Quantos anos tens?*
3. *Ela deita-se tarde todos os dias.*
4. *O Sr. Fonseca é português e mora no Brasil.*
5. *Ao domingo nunca me levanto cedo.*
6. *A Marianne é alemã e trabalha em Portugal.*
7. *Como é que se chama a mãe do José?*
8. *Hoje nós estamos a estudar os verbos regulares.*
9. *As aulas começam às nove horas.*

3.
1. *Tens / tem amigos em Portugal?*
2. *A que horas é que te levantas / se levanta sempre?*
3. *De onde é / és ?*
4. *Quanto é?*
5. *Lembras-te / lembra-se do Raul?*
6. *Onde fica o hotel, por favor?*
7. *Quantos anos tens / tem?*
8. *Onde vives / vive agora?*
9. *Quem é a Marta?*
10. *Como é que te chamas / se chama?*

4.
1. *d.*
2. *e.*
3. *f.*
4. *g.*
5. *b.*
6. *h.*
7. *i.*
8. *c.*
9. *j.*
10. *a.*

5.
a) *Ele corre.* b) *Ele está a correr.*
a) *Eles estudam.* b) *Eles estão a estudar.*
a) *Eles comem.* b) *Eles estão a comer.*
a) *Eles dançam.* b) *Eles estão a dançar.*
a) *Elas conversam / falam.* b) *Elas estão a conversar / falar.*

6.
- *São sete horas.*
- *São oito e quarenta e cinco. / São nove menos um quarto.*
- *São nove e um quarto. / São nove e quinze.*
- *São nove e cinquenta. / São dez para as dez.*
- *São dez e vinte e dois.*
- *São doze e dez. É meio-dia e dez.*
- *São dezassete e vinte. / São cinco e vinte.*
- *São vinte e cinquenta. / São dez para as nove. / São oito e cinquenta.*

7.
quinze
trinta e três
cinquenta
cinquenta e seis
trinta

8.
mesa
fogão
pão
sou

UNIDADE DE REVISÃO 2

1.
1. conheço
2. posso
3. pode
4. Sabes; Sei; consigo
5. pode / podia
6. conseguimos
7. Posso
8. conhecemos
9. sabe; conseguir
10. Conheces

2.
1. Esses óculos são meus.
2. Este cartão é dele.
3. Aquela garrafa de vinho é vossa.
4. Esses impressos são seus.
5. Essa cadeira é tua.
6. Aquele carro é deles.
7. Estas revistas são minhas.

3.
1. h.
2. d.
3. b.
4. g.
5. j.
6. i.
7. e.
8. c.
9. f.
10. a.

4.
1. e.
2. i.
3. b.
4. c.
5. g.
6. d.
7. f.
8. a.
9. h.

5.

1.
a) Quando / Em que dia é que ele vai à praia com os colegas?
b) Aonde é que ele vai no sábado?
c) Com quem é que ele vai à praia no sábado?

2.
a) Onde é que ele mora?
b) Há quanto tempo é que ele mora no Porto?

3.
a) Quem é que está a arrumar os livros nas prateleiras?
b) O que é que os empregados estão a arrumar?
c) Onde é que os empregados estão a arrumar os livros?

4.
a) Para onde é que vocês vão todos os dias de bicicleta?
b) Quando é que vocês vão para a escola de bicicleta?
c) Como é que vocês vão todos os dias para a escola?

5.
a) O que é que te / lhe dói?

6.
a) Quem é que te / lhe dá sempre um livro?
b) O que é que os seus / os teus tios lhe / te dão sempre no Natal?

6.
…outras maiores?
…outro mais fácil?
…outro melhor?
…outro mais claro?
…outra mais perto?

7.

beber um café
dificílimo
enorme
viver
tenho (frio)
ótimo
péssimo
voltar

8.

fechar
limpar
vir
entrar
trazer
puxar

9.

descansar; o descanso
trabalhar; o trabalho
limpar; limpo
compreender; a compreensão
chover; a chuva
arrumar; arrumado
a gordura; gordo
a diferença; diferente
cozinhar; a cozinha

10.

a. uma sandes
b. os óculos
c. uma música
d. pesca
e. o avião
f. a porta
g. o chapéu de chuva

UNIDADE DE REVISÃO 3

1.

1. Que bom! **2.** Desculpe, **3.** De nada.
4. Com licença. **5.** Parabéns! **6.** Não faz mal.

7. Boa viagem! **8.** Vamos embora.
9. Que pena! **10.** As melhoras.

2.

1. – Esqueci-me.
2. – Dissemos-lhes.
3. – Disse-lhe.
4. – Lembrámo-nos.
5. – Faço-te.
6. – Trouxe-te.
7. – Telefonei-lhe.
8. – Demos-lhe.

3.

1. Na segunda-feira passada fui ao médico, mas ele só me atendeu às 19 horas.
2. Nas próximas férias vou a Paris e vou visitar a Disneyland Paris.
3. Ontem o João chegou atrasado porque o carro se avariou.
4. Normalmente ele põe a mesa, enquanto eu faço o jantar.
5. Quando eu lhe dou um presente, ela diz--me sempre obrigada.

4.

a) Vá...
Abra…
Ponha…
Faça…
Leve…
Passe…
Confirme…
Reserve…
Envie…
Atenda… e anote…

b) Abri o correio e pus os faxes e o jornal na secretária do Dr. Santos. Depois fiz café e levei-o ao Dr. Santos. A seguir passei os relatórios no computador e confirmei a reunião com os clientes. Depois, reservei a passagem de avião e hotel para o Dr. Santos *para a viagem a Barcelona. Enviei as faturas aos clientes, atendi os telefonemas e anotei as mensagens.*

5.

luvas / mãos
meias / pés
gorro / cabeça
cachecol / pescoço
óculos / olhos
mangas / braços

7.

1. *Os amigos alemães deixaram mensagens.*
2. *Os irmãos dos diretores também vieram.*
3. *Façam os exercícios das lições, por favor.*
4. *Os senhores ingleses enganaram-se nas direções.*
5. *Quando estivemos nesses países, fomos a festas tradicionais muito interessantes.*
6. *Já viram as exposições?*
7. *Gostámos imenso dos dias que passámos convosco.*
8. *Vocês vieram ontem às aulas?*

8.

Ontem o Sr. Saraiva levantou-se e tomou um duche. Depois, preparou o pequeno-almoço. Comeu uma torrada e bebeu uma chávena de chá. Saiu de casa, apanhou o autocarro e foi para o trabalho. Durante a manhã trabalhou no escritório e ao meio-dia foi almoçar ao restaurante. Ao fim da tarde saiu do escritório e foi ao supermercado fazer compras. Chegou a casa cansado. Jantou e depois do jantar sentou-se no sofá da sala. Viu televisão com a mulher e depois foi-se deitar.

9.

1. vêm 2. doze 3. treze 4. vens
5. costas 6. viemos 7. só 8. céu
9. veem 10. traz 11. faca 12. Sé

11.

<u>Diálogo 1</u>
podia
siga
em
por
vire
à
desça
até
lado
fica
ao

<u>Diálogo 2</u>
gostaste
de
Adorei
foste
fui
fez
tive
deu
fez
68
dá
parabéns

UNIDADE DE REVISÃO 4

1.

1. – *Não o atendas!*
2. – *Não o envie!*
3. – *Não a ponhas no correio!*
4. – *Não o procure nessa lista!*
5. – *Não lhe telefone!*
6. – *Não o tragas para aqui, por favor!*
7. – *Não as sigas!*
8. – *Não o preencha por favor!*
9. – *Não lhes digas os resultados!*
10. – *Não o uses!*

Chave das Unidades de Revisão

2.

1. – Fiz, fiz.
2. – Soube, soube.
3. – Dei, dei.
4. – Vou, vou.
5. – Pus, pus.
6. – Li, li.
7. – Vim, vim. / Fui, fui.
8. – Vi, vi.

3.

1. – De quem é que todos falaram?
2. – Para quem é esta carta?
3. – Para onde é que ela ligou?
4. – Com quem é que vocês foram ao cinema?
5. – A quem é que eles mostraram o anúncio?
6. – Até onde é que leste ontem o livro?

4.

GATO
EMIGRANTE
TARTARUGA
CURRÍCULO
INQUÉRITO

5.

h); e); c); g); a); d); f); b)

6.

No sábado passado não _trabalhei_. Por isso, _levantei-me_ um pouco mais tarde e _tomei_ o pequeno-almoço calmamente. Depois, saí de casa e _fui_ para o ginásio. Lá, _encontrei-me_ com a minha amiga Paula. _Despimo-nos_, _vestimos_ os nossos fatos de ginástica e durante uma hora _fizemos_ aeróbica. Quando _acabámos_ a aula, _almoçámos_ juntas no restaurante do ginásio. À tarde _fomos_ ao cinema, _passeámos_ pelo centro comercial e _vimos_ as montras. Ao fim da tarde, _voltámos_ para casa, mas à noite _encontrámo_-nos com os nossos amigos para uma noite divertida.

7.

Antigamente não _trabalhava_. Por isso _levantava-me_ um pouco mais tarde e _tomava_ o pequeno-almoço calmamente. Depois, _saía_ de casa e ia para o ginásio. Lá, _encontrava-me_ com a minha amiga Paula. _Despíamo-nos_, _vestíamos_ os nossos fatos de ginástica e durante uma hora _fazíamos_ aeróbica. Quando _acabávamos_ a aula, _almoçávamos_ juntas no restaurante do ginásio. À tarde _íamos_ ao cinema, _passeávamos_ pelo centro comercial e _víamos_ as montras. Ao fim da tarde, voltávamos para casa, mas à noite _encontrávamo_-nos com os nossos amigos para uma noite divertida.

8.

1. – O salário de um médico é melhor do que o (salário) de uma rececionista.
2. – Eles trabalham tantas horas por dia como eu.
3. – Esta rua é tão barulhenta como aquela.
4. – A minha vizinha de cima fala tanto como o porteiro.
5. – O filme que eu vi ontem era maior do que o (filme) que nós vimos no sábado passado.

9.

1. e.
2. b.
3. a.
4. f.
5. c.
6. d.

10.

decidido
interessante
impaciente
seguro
lento
bonito

Glossário

PORTUGUÊS	DEUTSCH	ENGLISH	ESPAÑOL	FRANÇAIS
abrir	aufmachen, (er)öffnen	to open	abrir	ouvrir
acabar	aufhören, beenden	to finish	acabar	terminer
acampar	zelten	to camp	acampar	camper
ação (a)	die Handlung	action	acción	action
aceitar	annehmen, zulassen	to accept	aceptar	accepter
achar	glauben, finden	to find, to think	pensar, opinar	penser, trouver
acontecimento (o)	das Ereignis	event	acontecimiento	événement
acordar	aufwachen, wecken	to wake up	despertarse	se réveiller
acreditar	glauben	to believe	creer	croire
ativo	aktiv	active	activo	actif
atuar	wirken, handeln	to act	actuar	agir, jouer (théâtre)
açúcar (o)	der Zucker	sugar	azúcar	sucre
adaptação (a)	die Anpassung	adaptation	adaptación	adaptation
adequado	angemessen	appropriate	adecuado	adéquat
admitir	zulassen	to admit	admitir	admettre
adorar	sehr toll finden	to love	adorar	adorer
advogado (o)	der Rechtsanwalt	lawyer	abogado	avocat
aeróbica	die Aerobik	aerobics	aeróbica	aérobic
afiado	scharf	sharp	afilado	aiguisé, taillé
aficionado	der Liebhaber, Fan	fan	aficionado	amateur, passionné
afinal	also, nun, schließlich	after all	al fin, finalmente, en definitiva	enfin, après tout
agarrar	greifen, nehmen	to catch	agarrar	attraper, saisir
agenda (a)	der Taschen-kalender	diary	agenda	agenda
agente (o)	der Agent	agent	agente	agent
agir	wirken, handeln	to act	actuar	agir
agora	jetzt	now	ahora	maintenant
agradável	angenehm	pleasant	agradable	agréable
agradecer	danken	to thank	agradecer	remercier
agricultor (o)	der Landwirt	farmer	agricultor	agriculteur
água (a)	das Wasser	water	agua	eau
aguentar	ertragen, aushalten	to stand, to bear	aguantar	supporter
ainda	noch	still, yet	todavía, también	encore
ajuda (a)	die Hilfe	help	ayuda	aide
ajudar	helfen	to help	ayudar	aider
alcoólico	alkoholisch	alcoholic	alcohólico	alcoolique, alcoolisé
aldeia (a)	das Dorf	village	pueblo	village
alegre	froh	happy	alegre	joyeux
alemão	deutsch, Deutscher	German	alemán	allemand
algo	etwas	something	algo	quelque chose
algodão (o)	die Baumwolle	cotton	algodón	coton
alguém	jemand	someone	alguien	quelqu'un
algum/a, alguns, algumas	irgend(ein)/e/r, einige	some	algún/alguna	quelque
ali	dort	there	allí	là-bas
almoçar	zu Mittag essen	to have lunch (midday)	almorzar (mediodía)	déjeuner
almoço (o)	das Mittagessen	lunch (midday)	almuerzo (mediodía)	déjeuner

Glossário

PORTUGUÊS	DEUTSCH	ENGLISH	ESPAÑOL	FRANÇAIS
alto	groß, hoch	high, tall	alto	haut, grand
alugar	mieten, vermieten	to rent, to hire	alquilar	louer
amanhã	morgen	tomorrow	mañana	demain
ambos	beide	both	ambos	les deux
americano	amerikanisch, Amerikaner	American	americano	américain
amigo (o)	der Freund	friend	amigo	ami
amor (o)	die Liebe	love	amor	amour
análise (a)	die Analyse	analysis	análisis	analyse
andar	gehen, laufen	to walk	andar	marcher
anexo	beiliegend	attached	anexo	annexe
animal (o)	das Tier	animal	animal	animal
animar	beleben	to cheer up	animar	animer
aniversário (o)	der Geburtstag	birthday, anniversary	cumpleaños	anniversaire
ano (o)	das Jahr	year	año	an
anteontem	vorgestern	the day before yesterday	anteayer	avant-hier
antigamente	vormals, früher	in past times	antaño	autrefois
antigo	alt	old, former	antiguo	ancien
antipático	unsympathisch	unpleasant	antipático	antipathique
apanhar	nehmen, erwischen	to catch	coger	prendre, attraper
apartamento (o)	die Wohnung	flat	piso	appartement
apenas	nur, kaum	only, just	solamen	seulement
apreciar	genießen	to appreciate	apreciar	apprécier
aprender	lernen	to learn	aprender	apprendre
apresentação (a)	die Vorstellung	introduction	presentación	présentation
apresentar-se	sich vorstellen	to introduce	presentarse	se présenter
aproveitar	(aus)nutzen	to profit from	aprovechar	profiter
aqui	hier	here	aquí	ici
aquilo	jenes, jener, jene	that	aquello	ça (là-bas)
ar (o)	die Luft	air	aire	air
aranha (a)	die Spinne	spider	araña	araignée
areia (a)	der Sand	sand	arena	sable
arena (a)	die Arena	arena	arena	arène
argumentação (a)	die Beweisführung Argumentation	argumentation	argumentación	argumentation
argumento (o)	der Beweisgrund, das Argument	argument	argumento	argument, scénario
armado	gerüstet, bewaffnet	armed	armado	armé
arquitetura (a)	die Architektur	architecture	arquitectura	architecture
arranjar	besorgen, reparieren	to fix, to get	arreglar	réparer, trouver
arranjar-se	sich zurechtmachen	to get ready	arreglarse	se préparer
arredores (os)	die Umgebung	surroundings	alrededores	environs
arrogante	arrogant	arrogant	arrogante	arrogant
arroz (o)	der Reis	rice	arroz	riz
arrumação (a)	das Aufräumen, die Ordnung	neatness, tidiness	arreglo	rangement
arrumar	aufräumen	to tidy up	ordenar	ranger
arte (a)	die Kunst	art	arte	art
artigo	der Artikel	article	artículo	article
árvore (a)	der Baum	tree	árbol	arbre

PORTUGUÊS	DEUTSCH	ENGLISH	ESPAÑOL	FRANÇAIS
aspeto (o)	das Aussehen, der Aspekt	look	aspecto	aspect
aspirar	saugen	to suck	aspirar	aspirer
assado	gebraten	roasted	asado	rôti
assim	so	so, thus, like this	así	ainsi
assinalado	bezeichnet, markiert	marked	señalado	signalé
assinar	unterschreiben	to sign	firmar	signer
assinatura (a)	die Unterschrift	signature	firma	signature
assistir	zuschauen, beiwohnen	to watch, to attend	asistir	assister
assunto	das Thema	subject	asunto	thème
até	bis	until	hasta	jusque
atendedor	der Anrufbeantworter	answering	contestador	répondeur
automático	maschine	machine	automático	automatique
atender	antworten (das Telefon)	to answer (the phone)	atender (teléfono)	répondre (téléphone)
atirar	werfen	to throw	lanzar	lancer
atrasado	verzögert, verspätet	delayed	retrasado	en retard
atravessar	überqueren	to cross	cruzar	traverser
aula (a)	die Lektion, unterrichtsstunde	lesson	clase	cours
auscultar	abhorchen, abhören	to auscultate	auscultar	ausculter
autocarro (o)	der Autobus, Bus	bus	autobús	autobus
autoestrada (a)	die Autobahn	motorway	autopista	autoroute
auxílio (o)	das Hilfsmittel, die Hilfe	aid	auxilio	secours, aide
avariado	beschädigt	damaged	averiado, estropeado	en panne
avariar	kaputtgehen	to damage	averiarse, estropearse	tomber en panne
avenida (a)	die Allee	avenue	avenida	avenue
avião (o)	das Flugzeug	plane	avión	avion
avó (a)	großmutter	grandmother	abuela	grand-mère
avô (o)	großvater	grandfather	abuelo	grand-père
azulejo (o)	die Fliese	tile	azulejo	carreau de faïence
bacalhau (o)	der Stockfisch/Kabeljau	codfish	bacalao	morue
bailado (o)	das Ballett	ballet	danza	ballet, danse
bainha (a)	der Saum	hem	dobladillo	ourlet
baixo	klein, niedrig	small, short, low	bajo	bas, petit
balão (o)	der Luftballon	balloon	globo	ballon
banco (o)	die Bank	bank	banco	banque, banc
banheira (a)	die Badewanne	bathtub	bañera	baignoire
bar (o)	die Bar	bar	bar	bar
barato	billig	cheap	barato	bon marché
barba (a)	der Bart	beard	barba	barbe
bárbaro	barbarisch	barbarous	bárbaro	barbare
barco (o)	das Schiff, Boot	boat, ship	barco	bateau
barriga (a)	der Bauch	stomach, belly	barriga, tripa	ventre
barulhento	laut	noisy	ruidoso	bruyant
barulho (o)	der Lärm, Krach	noise	ruido	bruit
basquetebol (o)	der Basketball	basketball	baloncesto	basket-ball
bastante	ziemlich viel, genug	sufficient, enough	bastante	assez

Glossário

PORTUGUÊS	DEUTSCH	ENGLISH	ESPAÑOL	FRANÇAIS
batatas fritas (as)	Pommes frites	chips, french fried potatoes	patatas fritas	frites, chips
beber	trinken	to drink	beber	boire
bebida (a)	das Getränk	drink	bebida	boisson
beijinho (o)	das Küsschen	kiss	besito	bisou
beijo (o)	der Kuss	kiss	beso	bise
beleza (a)	die Schönheit	beauty	belleza	beauté
belga	belgisch, Belgier (-in)	Belgian	belga	belge
bem	gut (adv.)	well (adv.)	bien	bien
biblioteca (a)	die Bibliothek, Bücherei	library	biblioteca	bibliothèque
bica (a)	der Kaffee (Expresso)	Expresso (coffee)	café solo	expresso (café)
bicicleta (a)	das Fahrrad	bicycle	bicicleta	vélo
bife (o)	das Steak	steak	filete	steack
bigode (o)	der Schnurrbart	moustache	bigote	moustache
bilhete (o)	die Eintritt, Fahrkarte	ticket	billete	billet, ticket
bilhete de identidade (o)	der Personalausweis	identity card	carné de identidad	carte d'identité
biquíni (o)	der Bikini	bikini	bikini	bikini
blusão (o)	die Jacke	jacket	cazadora	blouson
boca (a)	der Mund	mouth	boca	bouche
bola (a)	der Ball	ball	pelota	balle, ballon
bolo (o)	der Kuchen	cake	pastel	gâteau
bom	gut	good	bueno	bon
bombeiro (o)	der Feuerwehrmann	fireman	bombero	pompier
boneca (a)	die Puppe	doll	muñeca	poupée
boneco (o)	die Puppe, Figur	doll, figure	muñeco	(petit) bonhomme
bonito	schön	beautiful	bonito	beau, joli
borracha (a)	der Radiergummi	rubber	goma	gomme
botas (as)	die Stiefel	boots	botas	bottes
braço (o)	der Arm	arm	brazo	bras
brasileiro	brasialianisch, Brasilianer	Brazilian	brasileño	brésilien
brilhar	glänzen	to shine	brillar	briller
brincar	spielen (mit Spielzeug), Spass machen	to play, to joke	jugar, bromear	jouer
brinquedo (o)	das Spielzeug	toy	juguete	jouet
cá	hier	here	aquí	ici
cabeça (a)	der Kopf	head	cabeza	tête
cabelo (o)	das Kopfhaar	hair	cabello, pelo	cheveu, cheveux
caça (a)	die Jagd	hunting	caza	chasse
cachecol (o)	der Schal	scarf	bufanda	écharpe
cada	jede/r/s	each, every	cada	chaque
cadeira (a)	der Stuhl	chair	silla	chaise
caderno (o)	das Heft	notebook	cuaderno	cahier
café (o)	der Kaffee	coffee	café	café
cafetaria (a)	das Kaffeehaus, die Cafeteria	coffee shop	cafetería	cafétéria
cair	fallen	to fall	caer	tomber
caixa (a)	die Kasse, Schachtel	box	caja	caisse
calado	still, schweigend	silent, quiet	callado	silencieux (personne)
calças (as)	die Hose	trousers	pantalones	pantalon

PORTUGUÊS	DEUTSCH	ENGLISH	ESPAÑOL	FRANÇAIS
calças de ganga (as)	die Jeans	jeans	vaqueros	jeans
calções (os)	die Kniehosen, Shorts	shorts	pantalón corto	caleçon, short
calmamente	langsam	quietly, calmly	tranquilamente	calmement
calmo	ruhig	calm	tranquilo	calme
calor (o)	die Hitze	heat	calor	chaleur
cama (a)	das Bett	bed	cama	lit
cambiar	wechseln	to change, to exchange	cambiar	changer
caminhar	gehen, wandern	to walk	caminar	marcher
caminho (o)	der Weg	way, path	camino	chemin
camioneta (a)	der Bus	bus	autocar	camionette, autocar
camisa (a)	das Hemd	shirt	camisa	chemise
camisa de dormir (a)	das Nachthemd	nightgown, nightdress	camisón	chemise de nuit
camisola (a)	der Pullover	sweater	jersey	pull-over
campismo (o)	das Zelten, Camping	camping	camping	camping
campo (o)	das Land, Feld	field	campo	campagne
candeeiro (o)	die Lampe	lamp	lámpara	lampe
candidato (o)	der Bewerber	candidate	candidato	candidat
cansado	müde	tired	cansado	fatigué
cão (o)	der Hund	dog	perro	chien
capa (a)	der Umhang, der Buchumschlag	cape, book cover	capa, cubierta (libro)	couverture (revue)
capaz	fähig	capable, able	capaz	capable
cara (a)	das Gesicht	face	cara	visage
carácter (o)	die Eigenschaft, der Charakter	character	carácter	caractère
cardiologista (o/a)	der Herzspezialist	cardiologist	cardiólogo	cardiologue
careca	kahl(-köpfig)	bald	calvo	chauve
caro	teuer	expensive	caro	cher
carpete (a)	der Teppich	carpet	alfombra	tapis
carpinteiro (o)	der Schreiner	carpenter	carpintero	menuisier
carrinha (a)	der Kleinlaster	van, small truck	furgoneta	fourgonnette
carro (o)	das Auto	car	coche	voiture
carta (a)	der Brief	letter	carta	lettre
cartão (o)	die Karte	card	tarjeta	carte
cartaz (o)	das Plakat	placard	cartel	affiche
carteira (a)	die Brieftasche	wallet	cartera	portefeuille
casa (a)	das Haus	house, home	casa	maison
casa de banho (a)	das Badezimmer	bathroom	cuarto de baño, aseos	salle-de-bains, toilettes
casaco (o)	die Jacke, das Jackett	coat	chaqueta	veste
casado	verheiratet	married	casado	marié
casal (o)	das (Ehe)Paar	couple	pareja	couple
casamento (o)	die Hochzeit	wedding, marriage	boda, matrimonio	mariage
casar-se	heiraten	to marry	casarse	se marier
cavaleiro (o)	der Reiter, Ritter	rider	jinete	cavalier
cavalo (o)	das Pferd	horse	caballo	cheval
cedo	früh	early	temprano	tôt
ceia (a)	Imbiss am späten Abend	supper	cena	souper
central	zentral	central	central	central

Glossário

PORTUGUÊS	DEUTSCH	ENGLISH	ESPAÑOL	FRANÇAIS
centro (o)	das Zentrum	centre	centro	centre
centro comercial (o)	das Einkaufszentrum	shopping centre, shopping mall	centro comercial	centre commercial
cereais (os)	das Getreide, Cerealien	cereals	cereales	céréales
certeza (a)	die Sicherheit	certainty	certeza	certitude
certo	richtig, bestimmt	true, right, certain	cierto, correcto	certain, exact
cesto de papéis (o)	der Papierkorb	wastepaper-basket	papelera	corbeille à papiers
céu (o)	der Himmel	sky, heaven	cielo	ciel
chá (o)	der Tee	tea	té, infusión	thé, infusion
chamada (a)	der Anruf, Aufruf	call	llamada	appel
chamar-se	heißen	to be called	llamarse	s'appeler
chão (o)	der Fussboden, Boden	floor	suelo	sol
chateado	verärgert, sauer	annoyed	enfadado	fâché
chato	langweilig, fad, lästig	annoying	pesado	pénible
chave (a)	der Schlüssel	key	llave	clé
chávena (a)	die Tasse	cup	taza	tasse
chegada (a)	die Ankunft	arrival	llegada	arrivée
chegar	ankommen	to arrive	llegar	arriver
cheio	voll	full	lleno	plein
cheque (o)	der Scheck	cheque	cheque	chèque
chinês	chinesisch, Chinese	Chinese	chino	chinois
chocolate (o)	die Schokolade	chocolate	chocolate	chocolat
chover	regnen	to rain	llover	pleuvoir
cidade (a)	die Stadt	city	ciudad	ville
cigarro (o)	die Zigarette	cigarette	cigarro	cigarette
cinema (o)	das Kino	cinema	cine	cinéma
cinto (o)	der Gürtel	belt	cinturón	ceinture
claro	hell, klar	light (colour), of course	claro	clair, bien sûr
cliente (o/a)	der Kunde	client	cliente	client
cobra (a)	die Schlange	snake	serpiente	serpent
coelho (o)	das Kaninchen	rabbit	conejo	lapin
coisa (a)	das Ding, die Sache	thing	cosa	chose
colega (a/o)	der Kollege	colleague	compañero	collègue
colégio (o)	die Privatschule	school	colegio	collège
colher (a)	der Löffel	spoon	cuchara	cuillère
colocar	legen, stellen	to put	colocar	mettre
colorido	farbig, bunt	coloured	colorido	coloré
com	mit	with	con	avec
combinar	sich verabreden	to arrange, to fix a date	quedar	prendre rendez-vous
comboio (o)	der Zug	train	tren	train
começar	anfangen	to begin	empezar	commencer
comentário (o)	der Kommentar	commentary	comentario	commentaire
comer	essen	to eat	comer	manger
comida (a)	das Essen	food	comida	nourriture
cómoda (a)	die Kommode	chest of drawers	cómoda	commode
companhia (a)	die Gesellschaft, Begleitung	company	compañía	compagnie
comparar	vergleichen	to compare	comparar	comparer
comparável	vergleichbar	comparable	comparable	comparable
completamente	völlig	completely	completamente	complètement
completar	ergänzen	to complete	completar	compléter

PORTUGUÊS	DEUTSCH	ENGLISH	ESPAÑOL	FRANÇAIS
completo	ganz, vollständig, komplett	complete	completo	complet
complicado	schwierig, kompliziert	difficult	complicado	compliqué
comprar	kaufen	to buy	comprar	acheter
compras (as)	die Einkäufe	shopping	compras	achats, courses
compreender	verstehen	to understand	comprender	comprendre
comprimido	die Tablette	pill		comprimé
computador (o)	der Computer	computer	ordenador	ordinateur
comunhão (a)	die Kommunion	communion	comunión	communion
comunicativo	redselig, mitteilsam	open	comunicativo	communicatif
concentrar-se	sich vertiefen, konzentrieren	to concentrate, to focus	concentrarse	se concentrer
concerto (o)	das Konzert	concert	concierto	concert
concretamente	konkret	specifically	concretamente	concrètement
conduzir	lenken, leiten, fahren	to drive	conducir	conduire
conferência (a)	die Konferenz	conference	conferencia	conférence
confirmar	bestätigen	to confirm	confirmar	confirmer
congresso (o)	der Kongress	congress, meeting	congreso	congrès
conhecer	kennen, kennenlernen	to know, to meet	conocer	connaître
conhecimento (o)	die Kenntnis, das wissen	knowledge	conocimiento	connaissance
conjunto (o)	die Gesamtheit, die Gruppe	the whole, band group	conjunto	ensemble
conquista (a)	die Eroberung	conquest	conquista	conquête
conseguir	schaffen, gelingen	to be able to, to manage to	conseguir	réussir, arriver à
conselho (o)	der Rat	advise	consejo	conseil
conservar	erhalten, aufbewahren	to keep, to maintain	conservar	conserver
consultar	konsultieren, aufsuchen (arzt) besuchen (arzt)	to consult	consultar	consulter
consultório (o)	die (arzt) Praxis	consulting room (MD)	consulta	cabinet
conta (a)	die Rechnung, das Konto	bill	cuenta	compte, addition
conta à ordem (a)	das Girokonto	current account	cuenta corriente	compte courant
conta a prazo (a)	das Festgeldkonto	fixed deposit account	cuenta a plazo	compte à terme
contar	(er)zählen	to tell, to count	contar	compter
continente (o)	der Kontinent	continent	continente	continent
continuar	fortsetzen, fortfahren	to go on	seguir	continuer
contra	gegen	against	contra	contre
convencer	überzeugen	to convince	convencer	convaincre
conversa (a)	das Gespräch, die Unterhaltung	conversation, talk	conversación	conversation
conversar	sich unterhalten	to talk	charlar	bavarder
convidar	einladen	to invite	invitar	inviter
convite (o)	die Einladung	invitation	invitación	invitation
convívio (o)	die Geselligkeit, das Beisammensein	social intercourse	convivencia	convivialité
copo (o)	das Glas	glass	vaso	verre

Glossário

PORTUGUÊS	DEUTSCH	ENGLISH	ESPAÑOL	FRANÇAIS
copo de água (o)	das Glas Wasser	glass of water	vaso de agua	verre d'eau
cor (a)	die Farbe	colour	color	couleur
coração (o)	das Herz	heart	corazón	cœur
coragem (a)	der Mut	courage	valor, coraje	courage
corajoso	mutig	courageous	valiente	courageux
corpo (o)	der Körper	body	cuerpo	corps
correto	richtig	right	correcto	correct
corredor (o)	der Flur	corridor	pasillo	couloir
correio (o)	die Post	post, post office	correo	courrier
Correios (os)	das Postamt	post office	Correos	Poste
correr	laufen, rennen	to run	correr	courir
cortar	schneiden, abbiegen	to cut	cortar	couper
costa (a)	die Küste	coast	costa	côte
costas (as)	der Rücken	back	espalda	dos
costumar	gewöhnlich etwas tun	to be in the habit of	acostumbrar, soler	avoir l'habitude
cotovelo (o)	der Ellbogen	elbow	codo	coude
cozido	gekocht	cooked	cocido	cuit / pot-au-feu
cozinha (a)	die Küche	kitchen	cocina	cuisine
cozinhar	kochen	to cook	cocinar	faire la cuisine, cuisiner
cozinheiro (o)	der Koch	cook	cocinero	cuisinier
crédito (o)	der Kredit	credit	crédito	crédit
criança (a)	das Kind	child	niño	enfant
criticar	kritisieren	to criticize	criticar	critiquer
cruzamento (o)	die Kreuzung	intersection crossroads	cruce	croisement
cruzeiro (o)	die Kreuzfahrt (-schiff)	cruise, cruise ship	crucero	croisière
culpa (a)	die Schuld	guilt	culpa	faute
cultura (a)	die Kultur	culture	cultura	culture
cunhado (o)	der Schwager	brother-in-law	cuñado	beau-frère
currículo (o)	der Lebenslauf	curriculum	curriculum vitae	curriculum vitae
curso (o)	das Studium, der Kurs	course	carrera, curso	cours, cursus
curto	kurz	short	corto	court
dantes	damals, früher	formerly	antaño	autrefois, avant
dar	geben	to give	dar	donner
decidido	energisch, entschieden	determined, decided	decidido	décidé
decidir	entscheiden	to decide	decidir	décider
decorar	dekorieren, auswendig lernen	to decorate, to learn by heart	decorar, memorizar	apprendre par cœ
dedo (o)	der Finger	finger	dedo	doigt
degrau (o)	die Stufe	step	escalón	marche
deixar	lassen	to let, to leave	dejar	laisser, quitter
dela	ihr	her	de ella	à elle
demasiado	zu viel	too much	demasiado	trop
dente (o)	der Zahn	tooth	diente	dent
dentista (o/a)	der Zahnarzt	dentist	dentista	dentiste
depender	abhängen	to depend on or upon	depender	dépendre
depois	danach	after	después	après

PORTUGUÊS	DEUTSCH	ENGLISH	ESPAÑOL	FRANÇAIS
depositar	hinterlegen, einreichen	to deposit	depositar	déposer
depressa	schnell	quickly	deprisa	vite
dermatologista (o/a)	der Hautarzt	dermatologist	dermatólogo	dermatologue
desarrumado	durcheinander, unaufgeräumt	untidy	desordenado	désordonné
descansar	sich ausruhen	to relax	descansar	se reposer
descapotável	Kabrio	convertible	descapotable	décapotable, cabriolet
descer	hinuntergehen	to go down	bajar	descendre
descobridor (o)	der Entdecker	discoverer	descubridor	découvreur
descobrir	entdecken	to discover	descubrir	découvrir
descrição (a)	die Beschreibung	description	descripción	description
desde	seit	since	desde	depuis
desejar	wünschen	to want, to wish	desear	désirer, souhaiter
desenvolver	entwickeln	to develop	desarollar	développer
desenvolvido	entwickelt	developed	desarollado	développé
desigualdade (a)	die Ungleichheit	difference	desigualdad	inégalité
deslocação (a)	die Reise, Fahrt	displacement, transposition	desplazamiento	déplacement
despedida (a)	der Abschied	farewell	despedida	adieux, au-revoir
desportivo	sportlich	sporty	deportivo	sportif
desporto (o)	der Sport	sport	deporte	sport
desvantagem (a)	der Nachteil	disadvantage	desventaja	désavantage
dever	sollen, müssen	must/to have to	deber	devoir
dia (o)	der Tag	day	día	jour, journée
diário	täglich	daily	diario	quotidien
dicção (a)	die Sprechweise	diction	dicción	diction
dicionário (o)	das Wörterbuch	dictionary	diccionario	dictionnaire
diferente	verschieden	different	diferente	différent
difícil	schwer, schwierig	difficult	difícil	difficile
dinheiro (o)	das Geld	money	dinero	argent
diretor (o)	der Direktor	manager	director	directeur
dirigente (o)	der Führer	leader	dirigente	dirigeant
disco (o)	die Platte	disc, record	disco	disque
discoteca (a)	die Diskothek	disco	discoteca	discothèque
discriminação (a)	die Unterscheidung, Diskriminierung	discrimination	discriminación	discrimination
discurso (o)	die Rede	speech	discurso	discours
disponibilidade (a)	die Verfügbarkeit	availability	disponibilidad	disponibilité
distrair	ablenken, unterhalten	to distract, to amuse	distraer	distraire
ditado (o)	das Diktat, das Sprichwort	dictation, proverb	dictado	dictée
divertido	lustig, unterhaltsam	funny	divertido	amusant
divertir-se	sich unterhalten, vergnügen	to amuse oneself, to have fun	divertirse	s'amuser
dividir	teilen, aufteilen	to divide	dividir	diviser
divorciado	geschieden	divorced	divorciado	divorcé
dizer	sagen	to say, to tell	decir	dire
doca (a)	das Dock, der Kai	dock	dársena	bassin, quai, dock
doce	süss	sweet	dulce	sucré, doux
doença (a)	die Krankheit	illness, disease	enfermedad	maladie

Glossário

PORTUGUÊS	DEUTSCH	ENGLISH	ESPAÑOL	FRANÇAIS
doer	weh tun, schmerzen	to ache, to hurt, to be painful	doler	faire mal
doméstico	Haus-, häuslich, Inlands-	domestic (adj.)	doméstico	domestique
dominar	beherrschen	to dominate, to master	dominar	dominer
dona de casa (a)	die Hausfrau	housewife	ama de casa	maîtresse de maison
dormir	schlafen	to sleep	dormir	dormir
dose (a)	die Portion	portion	dosis, ración	dose
dossier (o)	der Ordner, die Akte	file	carpeta, expediente	dossier, classeur
duche (o)	die Dusche	shower	ducha	douche
durante	während	during, for	durante	pendant
economia (a)	die Wirtschaft	economy	economía	économie
económico	wirtschaftlich, sparsam, billig	economical, saving	económico	économique
economista (a/o)	der Wirtschafts--wissenschaftler	economist	economista	économiste
educadora de infância (a)	die Kindergärtnerin	infant school teacher	maestra de educación infantil	puéricultrice, maîtress
educar	erziehen	to bring up, to educate	educar	éduquer
ela	sie	she	ella	elle
ele	er	he	él	il
elétrico (o)	die Straßenbahn	tram	tranvía	tramway
eletrocardiograma (o)	das Elektrokardiogramm	electrocardiogram	electrocardio	électrocardio-gramme
elegância (a)	die Eleganz	elegance	elegancia	élégance
elemento (o)	das Element	element	elemento	élément
emagrecer	abnehmen	to lose weight	adelgazar	maigrir
emigrante (o)	der Auswanderer	emigrant	emigrante	émigrant
empregado (o)	der Angestellte	employee	empleado, trabajador	employé
empregado de mesa (o)	der Kellner	waiter	camarero	garçon de café serveur
emprego (o)	die Arbeit, Beschäftigung	job	empleo, trabajo	emploi
empresa (a)	der Betrieb, das Unternehmen	company	empresa	entreprise
emprestar	ausleihen	to lend, to loan	prestar	prêter
empurrar	stoßen	to push	empujar	pousser
encaracolado	lockig	curly	rizado	bouclé
encher(-se)	(an-;aus-;er-) füllen	to fill, (to get full)	llenar(se)	(se) remplir
encomenda (a)	der Auftrag, die Bestellung	order, parcel	encargo	commande
encomendar	bestellen	to order	encargar	commander
encontrar-se	sich treffen	to meet someone	encontrarse	se rencontrer, se retrouver
endereço (o)	die Anschrift, Adresse	address	dirección	adresse
enfermeiro (o)	der Krankenpfleger	nurse	enfermero	infirmier
enganar	betrügen	to deceive, to trick	engañar	tromper
engenheiro (o)	der Ingenieur	engineer	ingeniero	ingénieur
engordar	dick werden, zunehmen	to fatten, to get fat	engordar	grossir

PORTUGUÊS	DEUTSCH	ENGLISH	ESPAÑOL	FRANÇAIS
enorme	riesig	huge	enorme	énorme
enquanto	während, solange	while	mientras	pendant que, alors que
então	dann, nun, also	so, then	entonces	alors
entre	zwischen	between, among	entre	entre
entregar	abgeben, (ab)liefern	to deliver	entregar	livrer, rendre
entretanto	indessen, unterdessen	meanwhile	mient	entre-temps
entrevista (a)	das Interview	meeting, interview	entrevista	entrevue
envelope (o)	der Umschlag	envelope	sobre	enveloppe
enviar	senden, schicken	to send	enviar	envoyer
época (a)	die Epoche, Saison	season	época, temporada	époque
errado	falsch	wrong	erróneo	faux
erro (o)	der Fehler	mistake	error	erreur
escadas (as)	die Treppen	stairs	escaleras	escaliers
escola (a)	die Schule	school	escuela	école
escola secundária (a)	weiterführende Schule	secondary school	instituto	lycée
escrever	schreiben	to write	escribir	écrire
escritório (o)	das Büro	office	oficina	bureau
escuro	dunkel	dark	oscuro	sombre, foncé
escuteiro (o)	der Pfadfinder	scout	scout	scout
espanhol	spanisch, Spanier	Spanish	español	espagnol
especial	besonders	special	especial	spécial
espécie (a)	die Sorte, Spezies	sort, kind	especie	espèce
espetáculo (o)	die Vorstellung, Show	show	espectáculo	spectacle
espelho (o)	der Spiegel	mirror	espejo	miroir
esperar (por)	warten auf	to wait for	esperar	attendre
espetar	aufspießen	to impale, to prick	pinchar, clavar	piquer, enfoncer
espírito (o)	der Sinn	spirit	espíritu	esprit
esplanada (a)	das Straßencafé	café terrace	terraza	terrasse
esquecer-se de	etwas vergessen	to forget	olvidarse	oublier
esqui (o)	der Ski	ski	esquí	ski
esquisito	ausgefallen, komisch, merkwürdig	strange	raro, extraño	étrange, bizarre
essencialmente	wesentlich essentiel	essentially	esencialmente	essentiellement
esta	diese, die hier	this	esta	cette
estação (a)	der Bahnhof, die Haltestelle	station	estación	gare
estação do ano (a)	die Jahreszeit	season	estación del año	saison de l'année
estacionar	parken	to park	aparcar	stationner se garer
estadia (a)	der Aufenthalt	stay	estancia	séjour
estádio (o)	das Stadium	stadium	estadio	stade
estado civil (o)	der Zivilstand	marital status	estado civil	état civil
estante (a)	das Regal	bookcase	estantería	étagère
estar	sein	to be	estar	être
estatística (a)	die Statistik	statistics	estadística	statistique
este	dieser, der hier	this	este	ce
estender	ausbreiten, (aus)strecken, aufhängen	to expand, stretch	extender, tender	étendre
estojo (o)	der Etui	set, kit	estuche	étui

Glossário

PORTUGUÊS	DEUTSCH	ENGLISH	ESPAÑOL	FRANÇAIS
estômago (o)	der Magen	stomach	estómago	estomac
estreito	eng, schmal	narrow	estrecho	étroit
estudante (a/o)	der/die Schüler(in)	student	estudiante	étudiant
estudar	lernen, studieren	to learn, to study	estudiar	étudier
estudo (o)	das Studium	study	estudio	étude
eu	ich	I	yo	je
exato	richtig, genau	correct, right	exacto	exact
exame (o)	die Prüfung	examination	examen	examen
excelente	ausgezeichnet	excellent	excelente	excellent
exercício (o)	die Übung	exercise	ejercicio	exercice
exigir	verlangen	to demand	exigir	exiger
existente	bestehend	existent, existing	existente	existant
êxito (o)	der Erfolg	success	éxito	succès
exótico	exotisch	exotic	exótico	exotique
experiência (a)	die Erfahrung	experience	experiencia	expérience
experimentar	ausprobieren	to try, to	experimentar, probar	essayer, expérimenter
explorador	der Forscher	explorer	explorador	explorateur
exposição (a)	die Ausstellung	exhibition	exposición	exposition
expressão (a)	der Ausdruck	expression	expresión	expression
extrovertido	extrovertiert	extroverted, open	extrovertido	extraverti
faca (a)	das Messer	knife	cuchillo	couteau
fácil	leicht	easy	fácil	facile
fatura (a)	die Rechnung	invoice	factura	facture
faculdade (a)	die Fähigkeit, die Fakultät	faculty	facultad	faculté
falador	schwatzhaft	talkative	hablador	bavard
falar	sprechen	to talk, to speak	hablar	parler
falecer	sterben	to die	fallecer	décéder
faltar	fehlen	not to be present	faltar	manquer
família (a)	die Familie	family	familia	famille
familiar	familiär,	familiar	familiar	familial, familier
famoso	berühmt	famous	famoso	célèbre
fantástico	phantastisch	fantastic	fantástico	fantastique
farmácia (a)	die Apotheke	chemist´s	farmacia	pharmacie
fatia (a)	die Scheibe, das Stück	slice	loncha	tranche
fato (o)	der Anzug	suit	traje	costume
fato de banho (o)	der Badeanzug, die Badehose	swimming costume	bañador	maillot de bain
fazenda (a)	der Stoff	cloth	tela	étoffe
fazer	machen	to do, to make	hacer	faire
febre (a)	das Fieber	fever	fiebre	fièvre
feira (a)	der Markt, die Messe	market, fair	feria	foire
feliz	glücklich	happy	feliz	heureux
férias (as)	die Ferien, der Urlaub	holidays	vacaciones	vacances
feroz	wild	savage	feroz	féroce
festa (a)	das Fest, die Feier	party	fiesta	fête
festejar	feiern	to celebrate	festejar	fêter
fiambre (o)	gekochter Schinken	ham	jamón cocido	jambon
ficar	sich befinden, bleiben, werden	to stay, to remain, to be	quedarse, quedar	rester
figura (a)	die Figur	figure, shape, image	figura	figure

PORTUGUÊS	DEUTSCH	ENGLISH	ESPAÑOL	FRANÇAIS
filho (o)	der Sohn	son	hijo	fils
filme (o)	der Film	film	película	film
fim (o)	das Ende	end	fin	fin
fim de semana (o)	das Wochenende	weekend	fin de semana	week-end
final (o)	das Ende, das Finale	final	final	fin
fixo	fest, fix	fixed, settled	fijo	fixe
fofo	weich	soft	blando, bonito	moelleux, mignon
fogão (o)	der Küchenherd	stove	cocina (objeto)	cuisinière (objet)
folha (a)	das Blatt	leaf	hoja	feuille
folheto (o)	der Prospekt	booklet, leaflet	folleto	dépliant
fome (a)	der Hunger	hunger	hambre	faim
fora	draussen	out	fuera	dehors
formação (a)	die Ausbildung	training, qualifications	formación	formation
formulário (o)	das Formular	form	formulario	formulaire
francês	französisch, der Franzose	French	francés	français
frango (o)	das Hähnchen	chicken	pollo	poulet
franja (a)	die Franse	fringe	flequillo	frange
frequentemente	oft	often	a menudo	souvent
fresco	frisch, kühl	fresh	fresco	frais
frigorífico (o)	der Kühlschrank	refrigerator	frigorífico, nevera	réfrigérateur
frio (o)	kalt	cold	frío	froid
fruta (a)	das Obst	fruit	fruta	fruits
fumar	rauchen	to smoke	fumar	fumer
futebol (o)	Fußball	football	futbol	football
gabardina (a)	der Regenmantel	raincoat	gabardina	gabardine
gabinete (o)	das Büro	office	despacho	bureau
galão (o)	großer Milchkaffee	a glass of white coffee	café con leche	café au lait
ganhar	gewinnen	to win	ganar	gagner
garagem (a)	die Garage	garage	garaje	garage
garfo (o)	die Gabel	fork	tenedor	fourchette
garganta (a)	der Hals	throat	garganta	gorge
garrafa (a)	die Flasche	bottle	botella	bouteille
gás (o)	das Gas	gas	gas	gaz
gastador	der Verschwender	wastrel, expender	gastador	dépensier
gastar	ausgeben, verbrauchen	to spend	gastar	dépenser
gato (o)	die Katze	cat	gato	chat
genro (o)	der Schwiegersohn	son-in-law	yerno	gendre
gente (a)	die Leute, wir	people	(nosotros), gente	on
gentil	höflich	polite	gentil, amable	gentil
geral	allgemein	general	general	général
gesto (o)	die Geste	gesture	gesto	geste
ginásio (o)	die Turnhalle, das Fitness-studio	gymnasium	gimnasio	gymnase
ginástica (a)	die Gymnastik	gymnastics	gimnasia	gymnastique
ginecologista (a/o)	der Frauenarzt	gynaecologist	ginecólogo	gynécologue
girar	drehen	to turn, to spin	girar	tourner
giro	toll, schön, nett,	nice, cute, funny	bonito, mono,	joli, mignon
gordo	dick	fat	gordo	gros
gordura (a)	das Fett	fatness	grasa	graisse

Glossário

PORTUGUÊS	DEUTSCH	ENGLISH	ESPAÑOL	FRANÇAIS
gorro (o)	die Mütze	cap	gorro	bonnet
gostar (de)	gern haben	to like	gustar	aimer
grande	groß	big	grande	grand
grátis	kostenlos, gratis	free, gratis	gratis	gratuit
grelhado	gegrillt	grilled	a la parrilla	grillé
grupo (o)	die Gruppe	group	grupo	groupe
guardanapo (o)	die Serviette	napkin	servilleta	serviette de table
guardar	aufbewahren, behalten	to keep	guardar	garder, ranger
guerra (a)	der Krieg	war	guerra	guerre
guia (a/o)	der/die Reiseleiter(in) /der Reiseführer	guide	guía	guide
guiar	fahren, lenken	to drive	guiar, conducir	guider
guitarra (a)	die Guitarre	guitar	guitarra	guitare
habilitações (as)	die Kenntnisse, Befähigungen	qualifications	aptitudes	aptitudes
habitante (a/o)	der Bewohner	inhabitant	habitante	habitant
habitual	gewöhnlich	usual	habitual	habituel
haver	haben (esgibt)	there to be	haber	y avoir
herbívoro	grasfressend	herbivorous	herbívoro	herbivore
hoje	heute	today	hoy	aujourd'hui
holandês	holländisch, der Holländer	Dutch	holandés	holandais
homem (o)	der Mann	man	hombre	homme
hora (a)	die Uhr, Stunde	hour	hora	heure
horror (o)	das Entsetzen	horror, terror	horror	horreur
hospital (o)	das Krankenhaus	hospital	hospital	hôpital
hotel (o)	das Hotel	hotel	hotel	hôtel
ideia (a)	die Idee	idea	idea	idée
igreja (a)	die Kirche	church	iglesia	église
igual	gleich	equal	igual	égal
imobilizar	stilllegen	to immobilize	inmovilizar	immobiliser
imperial (a)	gezaptfes Glas Bier	small beer	caña (cerveza)	bière pression, demi-pression
imponente	großartig, eindrucksvoll	majestic	imponente	imposant
importante	wichtig	important	importante	important
importar	einführen, importieren	to import	importar	importer
imprescindível	wesentlich	essential	imprescindible	indispensable
impressionado	beeindruckt	impressed	impresionado	impressionné
impresso	gedruckt	printed	impreso	imprimé
incluir	umfassen, enthalten	to include	incluir	inclure
indeciso	zögernd, unentschieden	hesitant	indeciso	indécis
indicação (a)	die Anzeige, der Hinweis	indication	indicación	indication
indicar	anzeigen	to indicate	indicar	indiquer
individual	individuell	individual	individual	individuel
indolente	gleichgültig	indolent	indolente	indolent
influência (a)	der Einfluss	influence	influencia	influence
inquérito (o)	die Untersuchung	survey	encuesta	enquête
inteligente	intelligent	intelligent	inteligente	intelligent
interessante	interessieren	interesting	interesante	intéressant
interessar-se (por)	sich interessieren für	to show interest	estar interesado	s'intéresser à
internacional	international	international	internacional	international
introvertido	introvertiert	introverted, shy	introvertido	introverti

PORTUGUÊS	DEUTSCH	ENGLISH	ESPAÑOL	FRANÇAIS
investigação (a)	die Forschung, Untersuchung	inquiry, inquest	investigación	recherche
iogurte (o)	der Joghurt	yoghurt	yogur	yaourt, yogourt
irmã (a)	die Schwester	sister	hermana	sœur
irmão (o)	der Bruder	brother	hermano	frère
isso	das da	that	eso	ça (là)
isto	dieses	this	esto	ça (ici)
italiano	italienisch, der Italiener	Italian	italiano	italien
já	schon, sofort	now, already	ya	déjà, tout-de-suite
janela (a)	das Fenster	window	ventana	fenêtre
jantar	zu Abend essen	to have dinner	cenar	dîner
jantar (o)	das Abendessen	dinner	cena	dîner
jardim (o)	der Garten	garden	jardín	jardin
jardineiro (o)	der Gärtner	gardener	jardinero	jardinier
joelho (o)	das Knie	knee	rodilla	genou
jogador (o)	der Spieler	player	jugador	joueur
jogar	spielen	to play	jugar	jouer
jogo (o)	das Spiel	play, game	juego, partido	jeu, match
jornal (o)	die Zeitung	newspaper	periódico	journal
jovem	jung	young	joven	jeune
junto a	neben, bei	nearby, close to	junto a	à côté de
juntos	zusammen	together	juntos	ensemble
justificar	rechtfertigen, nachweisen	to justify	justificar	justifier
justo	gerecht	fair, right	justo	juste
lá	da, dort	there	allí	là-bas
lã (a)	die Wolle	wool	lana	laine
lagarto (o)	die Eidechse	lizard	lagarto	lézard
lápis (o)	der Bleistift	pencil	lápiz	crayon
laranja	die Apfelsine, orange	orange	naranja	orange
largo	breit	wide	ancho	large
largo (o)	der Platz	plaza	placeta	place
lata (a)	die Blechdose	tin	lata	canette, boîte de conserve
lava-loiça (o)	das Spülbecken	sink	fregadero	lave-vaisselle
lavandaria (a)	die Reinigung	laundry	lavandería	blanchisserie
lavatório (o)	das Waschbecken	washbasin	lavabo	lavabo
legumes (os)	das Gemüse	vegetables	verduras	légumes
leite (o)	die Milch	milk	leche	lait
lembrar-se de	sich erinnern	to remember	acordarse de	se rappeler
lente de contacto (a)	die Kontaktlinse	contact lens	lentilla de contacto	lentille de contact, verre de contact
lento	langsam	slow	lento	lent
ler	lesen	to read	leer	lire
letra (a)	der Buchstabe	letter	letra	lettre, écriture
levantar-se	aufstehen	to get up, to rise	levantarse	se lever
levar	mitnehmen	to take	llevar	emporter, emmener
liberdade (a)	die Freiheit	freedom	liberdad	liberté
limão (o)	die Zitrone	lemon	limón	citron
limpar	saubermachen, reinigen	to clean	limpiar	nettoyer
limpeza (a)	die Sauberhaltung, Säuberung	cleaning	limpieza	nettoyage

Glossário

PORTUGUÊS	DEUTSCH	ENGLISH	ESPAÑOL	FRANÇAIS
limpo	sauber	clean	limpio	propre
lindo	schön	beautiful	bonito	joli
língua (a)	die Sprache	language, tongue	lengua, idioma	langue
linha (a)	die Linie, Zeile	line, thread	linea, hilo	ligne, fil
liso	glatt	smooth, flat	liso	lisse, uni (tissu)
lista (a)	die Liste	list	lista	liste
livraria (a)	die Buchhandlung	bookshop	librería	librairie
livre	frei	free	libre	libre
livro (o)	das Buch	book	libro	livre
local (o)	der Ort, die Stelle	place, site	local	local, lieu
loja (a)	das Geschäft	shop	tienda	magasin, boutique
longe de	weit entfernt von	far	lejos de	loin de
longo	lang	long	largo	long
louro	blond	blond	rubio	blond
lua (a)	der Mond	moon	luna	lune
lua de mel (a)	die Flitterwochen	honeymoon	luna de miel	lune de miel
lutador	der Kämpfer	fighter	luchador	lutteur, combattant
luvas (as)	die Handschuhe	gloves	guantes	gants
luxemburguês	luxemburgisch, der Luxemburger	Luxemburger	luxemburgués	luxembourgeois
mãe (a)	die Mutter	mother	madre	mère
magro	dünn, mager	thin	delgado	maigre, mince
mais	mehr	more	más	plus
mala (a)	die Tasche, der Koffer	bag	bolso, maleta	sac, valise
mandar	schicken, befehlen	to send	mandar	envoyer, commander
manga (a)	der Ärmel	sleeve	manga	manche
manteiga (a)	die Butter	butter	mantequilla	beurre
manter	halten	to keep	mantener	maintenir, entretenir
mão (a)	die Hand	hand	mano	main
máquina (a)	die Maschine	machine	máquina	machine
máquina de lavar roupa (a)	die Waschmaschine	washing machine	lavadora	machine à laver lave-linge
máquina fotográfica (a)	der Fotoapparat	camera	cámara fotográfica	appareil photo
mar (o)	das Meer	sea	mar	mer
marcante	markant	remarkable	marcante, destacado	marquant
marinho	Meeres, See	marine, maritime	marino	marin
marítimo	See	marine, maritime	marítimo	maritime
mas	aber	but	pero	mais
massa (a)	der Teig	dough	pasta	pâte
matar	töten	to kill	matar	tuer
matemática (a)	die Mathematik	mathematics	matemáticas	mathématiques
mau	schlecht	bad	malo	mauvais, méchant
medicamento (o)	die Arznei	medicine	medicamento	médicament
medicina (a)	die Medizin	medicine	medicina	médecine
médico (o)	der Arzt	doctor	médico	médecin
médio	durchschnittlich	medium	medio	moyen
medir	messen	to measure	medir	mesurer

PORTUGUÊS	DEUTSCH	ENGLISH	ESPAÑOL	FRANÇAIS
meias (as)	die Strümpfe	socks	calcetines	chaussettes, bas
meigo	zärtlich, lieb	sweet, tender	cariñoso	doux, tendre
meio (o)	halb, mittel	half	medio	milieu
mel (o)	der Honig	honey	miel	miel
melhor	besser	better	mejor	meilleur
membro (o)	das Mitglied	member	miembro	membre
mensagem (a)	die Nachricht	message	mensaje	message
mercado (o)	der Markt	market	mercado	marché
mergulhar	tauchen	to dive	bucear, zambullirse	plonger
mergulho (o)	das Tauchen	dive	buceo, chapuzón	plongée, plongeon
mês (o)	der Monat	month	mes	mois
mesa (a)	der Tisch	table	mesa	table
mesa de cabeceira	der Nachttisch	bedside table	mesilla de noche	table de nuit(a)
mesmo	gleich, derselbe	just, same	mismo	même
meta (a)	das Ziel	goal, aim	meta	but
metro (o)	der Meter	metre	metro	métro
meu	mein(e)	my, mine	mi	mon
minha	mein(e)	my, mine	mi	ma
missa (a)	die Messe, der Gottesdienst	Mass	misa	messe
misto	gemischt	mixture, mixed	mixto	mixte
miúdo (o)	kleiner Junge	boy	niño	petit garçon
moda (a)	die Mode	fashion	moda	mode
moderação (a)	die Mäßigung	moderation	moderación	modération
momento (o)	der Moment	moment	momento	moment
monarquia (a)	die Monarchie	monarchy	monarquía	monarchie
montanha (a)	das Gebirge	mountain	montaña	montagne
montar	aufbauen	to mount	montar	monter
montra (a)	das Schaufenster	shop window	escaparate	vitrine
monumento (o)	das Denkmal	monument	monumento	monument
morada (a)	die Anschrift, Adresse	address	dirección	adresse
morar	wohnen	to live (at an address)	vivir	habiter
mosca (a)	die Fliege	fly	mosca	mouche
mostrar	zeigen	to show	enseñar	montrer
mota (a)	das Motorrad	motorcycle	moto	moto
motorista (o)	der Fahrer	driver	conductor	conducteur, chauffeur
movimento (o)	die Bewegung	movement	movimiento	mouvement
muçulmano	der Muslim	Muslim	musulmán	musulman
mudança (a)	die Änderung, der Wechsel, Umzug	change	cambio, mudanza	changement, déménagement
mudar	ändern, wechseln	to change	cambiar, mudarse	changer, déménager
muito	viel, sehr	very, much	muy	très
muitos	viele	many	muchos	beaucoup
mulher (a)	die Frau	woman	mujer	femme
mundial	Welt	worldwide	mundial	mondial
muralha (a)	die Mauer	wall	muralla	muraille
músculo (o)	der Muskel	muscle	músculo	muscle
museu (o)	das Museum	museum	museo	musée

Glossário

PORTUGUÊS	DEUTSCH	ENGLISH	ESPAÑOL	FRANÇAIS
música (a)	die Musik	music	música	musique
música clássica (a)	klassische Musik	classical music	música clásica	musique classique
música popular (a)	Volksmusik	popular music	música popular	musique populaire
músico (o)	der Musiker	musician	músico	musicien
nacional	national	national	nacional	national
nacionalidade (a)	die Nationalität	nationality	nacionalidad	nationalité
nada	nichts	nothing	nada	rien
nadar	schwimmen	to swim	nadar	nager
namorado (o)	der (feste) Freund, Liebhaber	boyfriend	novio	petit-ami
namorar	mit jemandem gehen, eine(n) Freund(in) haben	to court	salir con alguien, seducir	sortir avec, avoir une liaison avec quelqu'un
não	nein	no	no	non
nariz (o)	die Nase	nose	nariz	nez
nascer	geboren werden	to be born	nacer	naître
nascimento (o)	die Geburt	birth	nacimiento	naissance
Natal (o)	Weihnachten	Christmas	Navidad	Noël
natural	natürlich	natural	natural	naturel
navegar	segeln, fahren	to navigate	navegar	naviguer
negócio (o)	das Geschäft	business	negocio	affaire
nenhum	kein	no, any, none	ninguno	aucun
neto (o)	das Enkelkind	grandchild	nieto	petit-fils
neurologista (a/o)	der Nervenarzt	neurologist	neurólogo	neurologue
nevar	schneien	to snow	nevar	neiger
neve (a)	der Schnee	snow	nieve	neige
ninguém	niemand	nobody, no-one, anybody, anyone	nadie	personne
nível (o)	das Niveau	level	nivel	niveau
noite (a)	der Abend, die Nacht	night	noche	Nuit
nojento	ekelhaft	disgusting, repugnant	asqueroso	dégoûtant
nora (a)	die Schwiegertochter	daughter-in-law	nuera	belle-fille
normal	normal	normal	normal	normal
normalmente	normalerweise	usually	normalmente	normalement
norte (o)	der Norden	north	norte	nord
notícia (a)	die Nachricht	news	noticia	nouvelle
noticiário (o)	die Nachrichten	news broadcast, news	noticiario, noticias	informations
novamente	wieder	again, once more	de nuevo	à nouveau
novo	neu, jung	new, young	nuevo, joven	nouveau, jeune
nunca	nie	never	nunca	jamais
obediente	gehorsam	obedient	obediente	obéissant
objetivo (o)	das Ziel	aim, goal	objetivo	objectif
objeto (o)	das Ding, Gegenstand	thing, object	objeto	objet
oceano (o)	der Ozean	ocean	océano	océan
óculos (os)	die Brille	glasses	gafas	lunettes
ocupado	beschäftigt	busy	ocupado	occupé
ocupar	besetzen, beschäftigen	to occupy	ocupar	occuper
oficina (a)	die Werkstatt	workshop	taller	garage

PORTUGUÊS	DEUTSCH	ENGLISH	ESPAÑOL	FRANÇAIS
oftalmologista (a/o)	der Augenarzt	ophthalmologist	oftalmólogo	ophtalmologue
olhar	schauen, blicken	to look	mirar	regarder
olho (o)	das Auge	eye	ojo	œil
ombro (o)	die Schulter	shoulder	hombro	épaule
onde	wo	where	donde	où
ondulado	wellig	wavy	ondulado	ondulé
ontem	gestern	yesterday	ayer	hier
opinião (a)	die Meinung	opinion	opinión	opinion
ordem (a)	der Befehl	order	orden	ordre
orelha (a)	das Ohr	ear	oreja	oreille (externe)
organizado	organisiert	organized	organizado	organisé
organizar	organisieren	to organize	organizar	organiser
orientar-se	sich zurechtfinden	to orientate o.s.	orientarse	s'orienter
origem (a)	der Ursprung	origin	origen	origine
orquestra (a)	das Orchester	orchestra	orquesta	orchestre
ortopedista (a/o)	der Orthopäde	orthopaedist	ortopedista	orthopédiste
osso (o)	der Knochen	bone	hueso	os

otorrinolaringo-
-logista (a/o)
	Hals-, Nasen- und
	  Ohren-Arzt
		otorhinolaryn-
		  gologist
			otorrino-
			  laringólogo
				oto-rhino-
				  laryngologiste

outra vez	ein andermal, noch
	  einmal
		again, one more
		  time
			otra vez	encore, une
				  autre fois

outro	andere/r/s	other, another	otro	autre
ouvido (o)	das Gehör	ear	oído	oreille (interne), ouïe
ouvir	hören	to hear	oír	entendre
ovo (o)	das Ei	egg	huevo	œuf
paciência (a)	die Geduld	patience	paciencia	patience
paciente	geduldig	patient	paciente	patient
padeiro (o)	der Bäcker	baker	panadero	boulanger
padre (o)	der Priester	priest, Father	cura	curé
pagar	(be)zahlen	to pay	pagar	payer
pai (o)	der Vater	father	padre	père
pais (os)	die Eltern	parents	padres	parents
país (o)	das Land	country	país	pays
paisagem (a)	die Landschaft	landscape	paisaje	paysage
palhaço (o)	der Clown	clown	payaso	clown
pão (o)	das Brot	bread	pan	pain
paragem (a)	die Haltestelle	stop	parada	arrêt

paragem de
  autocarros (a)
	Bus-Haltestelle	bus stop	parada
			  de autobús
				arrêt
				  d'autobus

paraíso (o)	das Paradies	paradise	paraíso	paradis
parar	anhalten, halten	to stop	parar	(s') arrêter
parecer	scheinen	to seem	parecer	paraître
parede (a)	die Wand	wall	pared	mur
parque (o)	der Park	park	parque	parc
parque infantil (o)	der Spielplatz	playground	parque infantil	parc pour enfants
parte (a)	der Teil	part	parte	part / partie

partida (a)	der Start, die Abfahrt	start,
		  departure
			partida, broma	départ, blague,
				  partie

partilhar	(ver)teilen	to share	compartir	partager

partir	abfahren, brechen	to leave, to go,
		  to break
			partir	partir,
				  casser

Glossário

PORTUGUÊS	DEUTSCH	ENGLISH	ESPAÑOL	FRANÇAIS
passadeira (a)	der Zebrastreifen	zebracrossing	paso de peatones	passage piétons
passagem (a)	der Durchgang	passage	pasaje	passage
passaporte (o)	der Reisepass	passport	pasaporte	passeport
passar	verbringen, vergehen, durchqueren	to spend, to pass, to go through	pasar	passer
pássaro (o)	der Vogel	bird	pájaro	oiseau
passar-se	sich ereignen	to happen	suceder	se passer
passatempo (o)	der Zeitvertreib	pastime	pasatiempo	passe-temps
passear	spazieren	to walk	pasear	se promener
passeio (o)	der Bürgersteig, Spaziergang, -fahrt	side-walk, walk pavement	paseo, acera	promenade, trottoir
pasta (a)	die Mappe, der Ranzen	briefcase, school bag	carpeta	pochette
pastelaria (a)	die Konditorei	cake shop	pastelería	pâtisserie
pastilha (a)	die Pastille, Tablette	pastille	pastilla	pastille, chewing-gum
pé (o)	der Fuß	foot	pie	pied
pediatra (a/o)	der Kinderarzt	paediatrist	pediatra	pédiatre
pedir	bitten, bestellen	to ask for	pedir	demander, commander
pedra (a)	der Stein	stone	piedra	pierre
pegar	halten, nehmen	to hold, to catch	coger	prendre
peito (o)	die Brust	breast, chest	pecho	poitrine
peixe (o)	der Fisch	fish	pez, pescado	poisson
pele (a)	die Haut	skin	piel	peau
pelo (o)	das Körperhaar	hair	vello	poil
peludo	haarig	hairy	peludo	poilu
pendurado	hängend	hanged, hung	colgado	pendu, accroché
pensar (em)	denken (an)	to think about	pensar (en)	penser
pequeno	klein	small	pequeño	petit
pequeno-almoço (o)	das Früstück	breakfast	desayuno	petit-déjeuner
perceber	verstehen	to understand	entender	comprendre
percentagem (a)	der Prozentsatz	percentage	porcentaje	pourcentage
perder-se	sich verlaufen	to get lost	perderse	se perdre
perfeitamente	vollkommen, perfekt	perfectly	perfectamente	parfaitement
perfeito	vollkommen, genau	perfect	perfecto	parfait
pergunta (a)	die Frage	question	pregunta	question
perigo (o)	die Gefahr	danger	peligro	danger
perigoso	gefährlich	dangerous	peligroso	dangereux
periódico	periodisch, regelmäßig	periodic	periódico	périodique
permanente	ständig, dauernd	permanent	permanente	permanent
perna (a)	das Bein	leg	pierna	jambe
personalidade (a)	die Persönlichkeit	personality	personalidad	personnalité
persuasão (a)	die Überredung	persuasion	persuasión	persuasion
pertencer (a)	j-m gehören	to belong to	pertenecer	appartenir
peru (o)	der Puter, Truthahn	turkey	pavo	dinde
pesar	wiegen	to weigh	pesar	peser
pescador (o)	der Fischer	fisherman	pescador	pêcheur
pescar	fischen	to fish	pescar	pêcher
pescoço (o)	der Hals	neck	cuello	cou
peso (o)	das Gewicht	weight	peso	poids
pessoa (a)	die Person	person	persona	personne

PORTUGUÊS	DEUTSCH	ENGLISH	ESPAÑOL	FRANÇAIS
piano (o)	das Klavier	piano	piano	piano
pijama (o)	der Schlafanzug	pyjamas	pijama	pyjama
pintar	malen	to paint	pintar	peindre
pintor (o)	der Maler	painter	pintor	peintre
pintura (a)	die Malerei	painting	pintura	peinture
piscina (a)	das Schwimmbad Schwimmbecken, der Pool	swimming pool	piscina	piscine
pista (a)	das Rollfeld	runway	pista	piste
plano (o)	der Plan	plan	plano	plan
planta (a)	die Pflanze, Stadtplan	plant, plan	planta, plano (de una ciudad)	plante, plan (d'une ville)
pó (o)	der Staub, das Pulver	dust, powder	polvo	poussière
poder	können, dürfen	to be able, can	poder	pouvoir
polémica	polemisch	polemic, controversy	polémica	polémique
polícia (o)	der Polizist	policeman	policía	policier
ponto (o)	der Punkt	point	punto	point
pôr	setzen, stellen, legen	to put, to put on, to lay	poner	mettre
porque	weil, denn	because	porque	parce que
porta (a)	die Tür	door	puerta	porte
porteiro (o)	der Portier, Pförtner	porter	portero	concierge
português	portugiesisch, der Portugiese	Portuguese	portugués	portugais
posição (a)	die Lage, Stellung, Position	position, situation	posición	position
possibilidade (a)	die Möglichkeit	possibility	posibilidad	possibilité
possivelmente	möglicherweise	possibly, perhaps	posiblemente	possiblement
postal (o)	die Postkarte	postcard	postal	carte postale
posto de turismo (o)	das Fremdenverkehrsbüro	tourist office	oficina de turismo	office du tourisme
pouco	wenig	few, little	poco	peu
poupado	sparsam	economical	ahorrado, ahorrador	économisé, économe
poupar	sparen	to save	ahorrar	économiser
praça (a)	der Markt, der Platz	square, market	plaza	place
praia (a)	der Strand	beach	playa	plage
prateleira (a)	das Regal	shelf	estante	étagère
praticar	treiben, praktizieren	to practise	practicar	pratiquer
prato (o)	der Teller, das Gericht	plate, dish	plato	plat, assiette
precisar de	brauchen, müssen	to need	necesitar	avoir besoin
preço (o)	der Preis	price	precio	prix
prédio (o)	das Gebäude	building	edificio	immeuble
preencher	ausfüllen	to fill in	rellenar cumplimentar	remplir
preferência (a)	die Vorliebe	preference	preferencia	préférence
preferido	Lieblings...	favourite	preferido	préféré
preferir	vorziehen	to prefer	preferir	préférer
prémio (o)	der Preis	prize	premio	prix (récompense)
preparar	vorbereiten	to prepare	preparar	préparer
presente (o)	das Geschenk	present, gift	presente, regalo	présent, cadeau
primo (o)	der Cousin	cousin	primo	cousin

Glossário

PORTUGUÊS	DEUTSCH	ENGLISH	ESPAÑOL	FRANÇAIS
principalmente	hauptsächlich	mainly	principalmente	principalement
privado	privat, persönlich	private, personal	privado	privé
procurar	suchen	to look for, to search for	buscar	chercher
professora (a)	die Lehrerin	teacher	profesora	professeur
profissão (a)	der Beruf	profession	profesión	profession
profissional	beruflich	professional	profesional	professionnel
proibido	verboten	forbidden	prohibido	interdit
pronto	fertig	ready, right	listo	prêt
próprio	selbst, (am Apparat)	speaking (phone call)	propio	propre
proteger	(be)schützen	to protect	proteger	protéger
provar	probieren	to taste	probar	goûter, prouver
próximo	nächste/r/s	next	próximo	prochain
publicidade (a)	die Werbung	publicity, advertising	publicidad	publicité
público (o)	das Publikum	public, audience	público	public
pulseira (a)	das Armband	bracelet	pulsera	bracelet
puro	rein	pure	puro	pur
quadro (o)	das Bild, die Tafel	picture, blackboard, painting	cuadro, pizarra	tableau
qual	welche/r/s	which	cual	quel(le)
qualquer	irgendein/e/er	any, anybody	cualquier	n'importe quel(le)
quarto (o)	das Zimmer	room	habitación, cuarto	chambre, quart
quase	fast	almost	casi	presque
queijo (o)	der Käse	cheese	queso	fromage
quem	wer	who, whom	quien	qui
quente	heiß	hot	caliente	chaud
querer	wollen	to want, to wish	querer	vouloir
querido	liebe/r/s	dear	querido	cher
questão (a)	die Frage	question	cuestión	question
quilo (o)	das Kilogramm	kilogram	kilo	kilo
quinta (a)	das Landgut	farm	finca	ferme
radical	radikal	radical	radical	radical
ramo (de flores) (o)	Blumenstrauß	bunch of flowers	ramo (de flores)	bouquet (de fleurs)
rápido	schnell	quick	rápido	rapide
raro	selten	rare	raro	rare
rato (o)	die Maus	mouse	ratón	souris
razoável	vernünftig	reasonable	razonable	raisonnable
reagir	reagieren	to react	reaccionar	réagir
realizar	durchführen	to carry out	realizar	réaliser
receber	bekommen, empfangen	to receive	recibir	recevoir
receção (a)	das Empfangsbüro, die Rezeption	reception	recepción	réception
rececionista (a)	die Empfangsdame Rezeptionistin	receptionist	recepcionista	réceptionniste
redação (a)	die Redaktion	editorial office	redacción	rédaction
refeição (a)	die Mahlzeit	meal	comida	repas
referir	berichten, erwähnen	to refer	referir	faire référence

PORTUGUÊS	DEUTSCH	ENGLISH	ESPAÑOL	FRANÇAIS
região (a)	die Gegend, Region	region	región	région
registado	eingetragen, eingeschrieben	registered	registrado	recommandé
registo (o)	die Eintragung	register	registro	enregistrement, registre
regressar	zurückkehren	to return, to come back	regresar, volver	revenir
relacionar	berichten, beschreiben, in Verbindung setzen	to relate, to report	relacionar	mettre en relation
relatório (o)	der Bericht	report	informe	rapport
relevante	wichtig, bedeutend	relevant	relevante	pertinent
repelente	abstoßend	repellent	repelente	répugnant
repetir	wiederholen	to repeat	repetir	répéter
reportagem (a)	die Reportage	report, reporting	reportaje	reportage
reservado	zurückhaltend, reserviert	shy, reserved	reservado	réservé
reservar	belegen, reservieren	to reserve	reservar	réserver
respeitar	Rücksicht nehmen auf, achten	to respect	respetar	respecter
respirar	atmen	to breathe	respirar	respirer
responder	antworten	to answer	contestar	répondre
responsável	verantwortlich	responsible	responsable	responsable
resposta (a)	die Antwort	answer	respuesta	réponse
restaurante (o)	das Restaurant	restaurant	restaurante	restaurant
resto (o)	der Rest	rest	resto	reste
resultado (o)	das Ergebnis	result	resultado	résultat
reunião (a)	die Besprechung, das Treffen	meeting	reunión	réunion
reunir	zusammenbringen, (ver)sammeln	to bring together, to meet	reunir	réunir
revelar	offenbaren, entwickeln	to reveal, to develop (film)	revelar	révéler
rever	wiedersehen	to see again	rever	revoir
revista (a)	die Zeitschrift	magazine	revista	revue
rio (o)	der Fluss	river	río	fleuve, rivière
risca (a)	der Streifen	line, stripe	raya	raie, rayure
robe (o)	der Bademantel	dressing gown	bata, albornoz	robe de chambre
roda (a)	das Rad	wheel	rueda	roue
rodeado	umgeben von	surrounded	rodeado	entouré
roedor	das Nagetier	rodent	roedor	rongeur
romano	römisch, der Römer	Roman	romano	romain
roto	zerlumpt	torn, shabby	roto	déchiré
roupa (a)	die Kleidung	clothes	ropa	linge
roupeiro (o)	der Kleiderschrank	wardrobe	guardarropa	penderie, armoire
rua (a)	die Straße street	street	calle	rue
ruínas (as)	die Ruinen	ruins	ruinas	ruines
ruivo	rothaarig	reddish, red-haired	pelirrojo	roux
russo	russisch, der Russe	Russian	ruso	russe
saber	wissen, können	to know	saber	savoir
saco (o)	die Tüte, der Sack	bag, sack	bolsa	sac

Glossário

PORTUGUÊS	DEUTSCH	ENGLISH	ESPAÑOL	FRANÇAIS
sádico	sadistisch	sadist, sadistic	sádico	sadique
saia (a)	der Rock	skirt	falda	jupe
sair	weg-,ausgehen, herauskommen	to go out	salir	sortir
sala (a)	das Wohnzimmer, der Saal	living room	salón	salle
salada (a)	der Salat	salad	ensalada	salade
salário (o)	der Lohn	wage, salary	salario	salaire
sandálias (as)	die Sandalen	sandals	sandalias	sandales
sandes (a)	belegt(s) Brot	sandwich	bocadillo	sandwich
sangue (o)	das Blut	blood	sangre	sang
sanita (a)	die Kloschüssel	w.c.	inodoro	cuvette des wc
sapataria (a)	das Schuhgeschäft	shoeshop	zapatería	magasin de chaussures
sapato (o)	der Schuh	shoe	zapato	chaussure
saudável	gesund	healthy	saludable	sain
Sé (a)	die Kathedrale	cathedral	Catedral	Cathédrale
se calhar	vielleicht	perhaps	a lo mejor, quizás	peut-être
secção (a)	die Abteilung	department	sección (shop/store)	rayon
secretária (a)	die Sekretärin, der Schreibtisch	secretary, desk	secretaria	secrétaire
seguinte	folgende/r/s	next, following	siguiente	suivant
seguir	folgen	to follow	seguir	suivre
seguradora (a)	Die Versicherungsgesellschaft Gesellschaf	insurance company	compañia de seguros	compagnie d'assurances
segurança (a)	die Sicherheit	security	seguridad	sécurité
selecionar	auswählen	to select	seleccionar	sélectionner
selo (o)	die Briefmarke, der Stempel	stamp	sello	timbre
selvagem	wild	wild	salvaje	sauvage
sem	ohne	without	sin	sans
semáforo (o)	die Verkehrsampel	traffic lights	semáforo	feu de signalisation
semana (a)	die Woche	week	semana	semaine
semanário (o)	die Wochenzeitung	weekly	semanario publication	hebdomadaire
semelhante	ähnlich	similar	semejante	semblable
sempre	immer	always	siempre	toujours
senhor (o)	der Herr, Sie (Anrede)	you, mister (Mr.)	señor	monsieur
senhora (a)	die Frau, Sie, die Dame	you, madam (Mrs.)	señora	dame, madame
sensação (a)	das Gefühl	sensation, feeling	sensación	sensation
sensível	empfindlich	sensible	sensible	sensible
sentar-se	sich setzen	to sit down	sentarse	s'asseoir
sentir	empfinden, spüren	to feel	sentir	sentir
sentir-se	sich fühlen	to feel	sentirse	se sentir
ser	sein	to be	ser	être
sério	ernst	serious	serio	sérieux
serra (a)	das Gebirge	mountains	sierra	montagne
serviço (o)	der Dienst (die Servicestelle)	service, work	servicio	service

PORTUGUÊS	DEUTSCH	ENGLISH	ESPAÑOL	FRANÇAIS
servir	dienen, passen	to serve	servir	servir
sexo (o)	das Geschlecht	sex	sexo	sexe
simpático	nett, sympathisch	nice, kind, friendly	simpático	sympathique
sinceramente	ehrlich	sincerely	sinceramente	sincèrement
sintoma (o)	das Symptom	symptom	síntoma	symptôme
sistema nervoso (o)	Nervensystem	nervous system	sistema nervioso	système nerveux
só	allein, nur	only, alone	sólo	seulement
sobrancelha (a)	die Augenbraue	eyebrow	ceja	sourcil
sobremesa (a)	der Nachtisch	dessert	postre	dessert
sobrinho (o)	der Neffe	nephew	sobrino	neveu
social	sozial, gesellschaftlich	social	social	social
sociável	gesellig	sociable	sociable	sociable
sociedade (a)	die Gesellschaft	society	sociedad	société
sofá (o)	das Sofa	sofa	sofá	canapé
sofrer	leiden	to suffer	sufrir	souffrir
sogro (o)	der Schwiegervater	father-in-law	suegro	beau-père
Sol (o)	die Sonne	sun	sol	soleil
solteiro	ledig	single	soltero	célibataire
soma (a)	die Summe	sum	suma	somme
sopa (a)	die Suppe	soup	sopa	soupe
sossego (o)	die Ruhe	quietness, calm	sosiego	tranquillité
sozinho	allein	alone	solo	seul
subir	steigen, hinaufgehen	to go up	subir	monter
substituir	ersetzen	to replace	sustituir	remplacer
sujo	schmutzig	dirty	sucio	sale
sumo de laranja (o)	der Orangensaft	orange juice	zumo de naranja	jus d'orange
supermercado (o)	der Supermarkt	supermarket	supermercado	supermarché
surpresa (a)	die Überraschung	surprise	sorpresa	surprise
talher (o)	das Besteck	cover	cubierto	couvert
talvez	vielleicht	perhaps	talvez	peut-être
tamanho (o)	die Größe	size	tamaño	taille
também	auch	also, too	también	aussi
tanto	so sehr	so much	tanto	tant, autant
tão	so+adj., so sehr	so, as	tanto	tant, si
tarde	spät	late	tarde	tard
tarde (a)	der Nachmittag, Abend,	afternoon	tarde	après-midi
tartaruga (a)	die Schildkröte	turtle	tortuga	tortue
taxa (a)	die Gebuhr, Rate	rate	tasa	taxe, taux
taxista (o)	der Taxifahrer	taxi driver	taxista	chauffeur de taxi
teatro (o)	das Theater	theatre	teatro	théâtre
tecido (o)	der Stoff	cloth	tejido	tissu
teimoso	eigensinnig, stur	stubborn	testarudo	têtu
telefonar	anrufen	to call, to telephone	telefonear	téléphoner
telefonema (o)	der Anruf	telephone call	llamada telefónica	appel téléphonique
telegrama (o)	das Telegramm	telegram	telegrama	télégramme
telemóvel (o)	das Handy	mobile	teléfono móvil	portable (téléphone)
televisão (a)	das Fernsehen	television	televisión	télévision
tema (o)	das Thema	matter, subject	tema	thème

Glossário

PORTUGUÊS	DEUTSCH	ENGLISH	ESPAÑOL	FRANÇAIS
temperatura (a)	die Temperatur	temperature	temperatura	température
templo (o)	der Tempel	temple	templo	temple
tempo (o)	das Wetter, die Zeit	weather, time	tiempo	temps
tenda (a)	das Zelt	tent	tienda de campaña	tente
ténis (o)	Tennis	tennis	tenis	tennis
ténis (os)	die Turnschuhe	trainers, sneakers	zapatillas de deporte	tennis, les baskets
tensão arterial (a)	der Blutdruck	blood pressure	tensión arterial	tension artérielle
ter	haben	to have	tener	avoir
ter de	müssen	to have to	tener que	devoir
ter um bebé	ein Kind kriegen	to have a baby	tener un bebé	avoir un bébé
terminar	enden, aufhören	to finish, to stop	terminar	terminer
testar	(nach)prüfen, testen	to verify, to test	someter a una prueba ensayar	tester
teste (o)	der Test	test	test, prueba	test
tigela (a)	die Schüssel	bowl	tazón	bol
tigre (o)	der Tiger	tiger	tigre	tigre
tímido	schüchtern	shy	tímido	timide
tio (o)	der Onkel	uncle	tío	oncle
tipicamente	typisch	typically	tipicamente	typiquement
típico	typisch	typical	típico	typique
tipo (o)	der Typ, die Art	type, kind	tipo	type
toalha (a)	das Handtuch	towel	toalla	serviette
tocar	berühren, spielen	to touch	tocar	toucher, jouer (instrument)
todo	ganz	whole	todo	tout
todos	alle	all	todos	tous
toldo (o)	das Sonnendach	awning	toldo	bâche
tomar	nehmen	to take, to have meals	tomar	prendre
torrada (a)	das Toast	toast	tostada	tartine
tosse (a)	der Husten	cough	tos	toux
totalmente	total, völlig	completely	totalmente	totalement
tourada (a)	der Stierkampf	bullfight	corrida de toros	corrida
toureiro (o)	der Stier-kämpfer	bullfighter	torero	torero
touro (o)	der Stier	bull	toro	taureau
trabalhador	fleißig	worker	trabajador	travailleur
trabalhar	arbeiten	to work	trabajar	travailler
trabalho (o)	die Arbeit	work	trabajo	travail
traçar	zeichnen	to trace	trazar	tracer
tradição (a)	die Tradition	tradition	tradición	tradition
tradicional	traditionell	traditional	tradicional	traditionnel
tranquilo	ruhig	calm, still	tranquilo	tranquille
transparente	durchsichtig	transparent	transparente	transparent
transporte (o)	der Transport	transportation	transporte	transport
tratar	behandeln, pflegen	to treat, to handle, to take care of	tratar	s'occuper, traiter, soigner
trazer	(her) bringen, mitbringen	to bring	traer	apporter, amener

PORTUGUÊS	DEUTSCH	ENGLISH	ESPAÑOL	FRANÇAIS
treinar	trainieren, Sport treiben	to train	entrenar	s'entraîner
trocar	(aus) tauschen, wechseln	to exchange, to change	descambiar, cambiar	changer, échanger
tudo	alles	everything	todo	tout
último	letzte/r/s	last	último	dernier
unha (a)	der (Fuß-, Finger-)Nagel	nail	uña	ongle
único	único einzige/r/s	unique, only	único	seul, unique
Universidade (a)	die Universität	university	universidad	université
uns	einige	some	unos	les uns
uns aos outros	gegenseitig	each other	los unos a los otros	les uns aux autres
usar	benutzen, nutzen	to use, to wear	usar	utiliser, porter
útil	nützlich	useful	útil	utile
utilidade (a)	die Nützlichkeit	usefulness	utilidad	utilité
utilizador (o)	der Benutzer	user	usuario	utilisateur
utilizar	benutzen	to use	utilizar	utiliser
vaca (a)	die Kuh	cow	vaca	vache
vantagem (a)	der Vorteil	advantage	ventaja	avantage
varanda (a)	der Balkon	balcony	balcón	balcon
vários	verschiedene	several	varios	plusieurs
vazio	leer	empty	vacío	vide
velho	alt	old	viejo	vieux
vender	verkaufen	to sell	vender	vendre
vento (o)	der Wind	wind	viento	vent
ver	sehen	to see	ver	voir
vestido (o)	das Kleid	dress	vestido	robe
vestir(-se)	(sich) anziehen	to get dressed	vestirse	s'habiller
vez (a)	das Mal	turn	vez	fois, tour
viagem (a)	die Reise	journey, trip	viaje	voyage
viajar	reisen	to travel	viajar	voyager
vila (a)	die Kleinstadt	village, town	villa, pueblo	petite ville
vindima (a)	die Weinlese	grape harvest	vendimia	vendange
vinho (o)	der Wein	wine	vino	vin
vir	kommen	to come	venir	venir
virar	abbiegen, (sich) umdrehen	to turn	girar	tourner
visitar	besuchen	to visit	visitar	visiter
viver	leben	to live	vivir	vivre
vizinho (o)	der Nachbar	neighbour	vecino	voisin
você	Sie, Du	you	usted	vous
voltar	zurückkommen	to return	volver	revenir, rentrer
voz (a)	die Stimme	voice	voz	voix
zangado	böse	angry	enfadado	fâché
zebra (a)	das Zebra	zebra	zebra	zèbre
zona (a)	die Gegend, Zone	area, place	zona	zone

Expressões

PORTUGUÊS	DEUTSCH	ENGLISH	ESPAÑOL	FRANÇAIS
à direita	rechts	on the right	a la derecha	à droite
à esquerda	links	on the left	a la izquierda	à gauche
a favor	zugunsten	on behalf of	en pro de	en faveur
à noite	abends, nachts	at night, in the evening	por la noche	le soir, la nuit
a pé	zu Fuss (gehen)	on foot, to walk	a pie	à pied
a sério	ernst	seriously	en serio	sérieusement
à tarde	nachmittags	in the afternoon	por la tarde	l'après-midi
além disso	ausserdem	besides (that)	además	en plus
antes de	bevor	before	antes de	avant
ao lado de	neben	next to	al lado de	à côté de
ao longo de	längs (gen.), entlang	along	a lo largo de	au long de
às vezes	manchmal	sometimes	a veces	quelquefois
atender o telefone	abnehmen (Telefon)	answer the phone	coger el teléfono	répondre au téléphone
atrás de	hinter	behind	detrás de	derrière
dar os parabéns	gratulieren	to congratulate	felicitar	féliciter, souhaiter bon anniversaire
dar um passeio	spazieren gehen	to go for a walk	dar una vuelta	faire un tour
de facto	tatsächlich	in fact, indeed, really, actually	de hecho	en fait
de manhã	morgens	in the morning	por la mañana	le matin
de onde	woher, woraus	where from	de donde	d'où
debaixo de	unter	under	debajo de	sous
depois de	nach	after	después de	après
o dia a dia	der Alltag	daily	el día a día	le quotidien
em cima de	auf	on	encima de	sur
em frente de	gegenüber	ahead, in front of	en frente de	en face de
fazer anos	Geburtstag haben	to have birthday	cumplir años	faire son anniversaire
fazer compras	einkaufen	to go shopping	hacer compras	faire des courses
fazer parte de	gehören zu	to belong to	hacer parte de	faire partie de
fazer um favor	einen Gefallen tun	to do a favour	hacer un favor	rendre un service
ir às compras	einkaufen gehen	to go shopping	ir de compras	aller en courses
ir ter com	sich treffen mit	to meet someone	juntarse con	retrouver
levantar a mesa	die Tafel aufheben, den Tish abräumen	to clear the table	quitar la mesa	débarrasser la table
o livro aos quadradinhos	Comic	comic strips	historieta	bande dessinée
pedir emprestado	leihen von, ausleihen	to borrow	pedir prestado	emprunter
pelo contrário	im Gegenteil	on the contrary	al contrario	au contraire
a pensão completa	Vollpension	all meals included	la pensión completa	la pension complète
pôr a mesa	den Tisch decken	to lay the table	poner la mesa	mettre la table
por acaso	zufällig	by chance	por casualidad	par hasard
por exemplo	zum Beispiel	for instance	por ejemplo	par exemple
por isso	deswegen	for that reason	por eso	c'est pour ça que
por volta de	ungefähr, etwa	around	hacia	vers
ter cuidado	aufpassen	to be careful	tener cuidado	faire attention
ter saudades de	vermissen	to miss	echar de menos	avoir la nostalgie de
tomar o pequeno-almoço	Frühstück nehmen	to have breakfast	desayunar	prendre le petit-déjeuner

Verbos – Presente do Indicativo / Pretérito Perfeito Simples

			Eu	Tu	Você Ele/ELa o Sr. /a Sra.	Nós	Vocês Eles/ELas os Srs. /as Sras.
VERBOS REGULARES	FalAR	P.I.	FalO	as	a	amos	am
	BebER		BebO	es	e	emos	em
	AbrIR		AbrO	es	e	imos	em
	AR	P.P.S.	ei	aste	ou	ámos	aram
	ER		i	este	eu	emos	eram
	IR		i	iste	iu	imos	iram
DAR		P.I.	dou	dás	dá	damos	dão
		P.P.S.	dei	deste	deu	demos	deram
ESTAR		P.I.	estou	estás	está	estamos	estão
		P.P.S.	estive	estiveste	esteve	estivemos	estiveram
DIZER		P.I.	digo	dizes	diz	dizemos	dizem
		P.P.S.	disse	disseste	disse	dissemos	disseram
FAZER		P.I.	faço	fazes	faz	fazemos	fazem
		P.P.S	fiz	fizeste	fez	fizemos	fizeram
TRAZER		P.I.	trago	trazes	traz	trazemos	trazem
		P.P.S.	trouxe	trouxeste	trouxe	trouxemos	trouxeram
HAVER		P.I.			há		
		P.P.S.			houve		
LER		P.I.	leio	lês	lê	lemos	leem
		P.P.S.			REGULAR		
VER		P.I.	vejo	vês	vê	vemos	veem
		P.P.S.	vi	viste	viu	vimos	viram
PERDER		P.I.	perco	perdes	perde	perdemos	perdem
		P.P.S.			REGULAR		
PODER		P.I.	posso	podes	pode	podemos	podem
		P.P.S.	pude	pudeste	pôde	pudemos	puderam
QUERER		P.I.	quero	queres	quer	queremos	querem
		P.P.S.	quis	quiseste	quis	quisemos	quiseram
SABER		P.I.	sei	sabes	sabe	sabemos	sabem
		P.P.S.	soube	soubeste	soube	soubemos	souberam
SER		P.I.	sou	és	é	somos	são
		P.P.S.	fui	foste	foi	fomos	foram
TER		P.I.	tenho	tens	tem	temos	têm
		P.P.S.	tive	tiveste	teve	tivemos	tiveram
VIR		P.I.	venho	vens	vem	vimos	vêm
		P.P.S.	vim	vieste	veio	viemos	vieram
DORMIR		P.I.	durmo	dormes	dorme	dormimos	dormem
		P.P.S.			REGULAR		
IR		P.I.	vou	vais	vai	vamos	vão
		P.P.S.	fui	foste	foi	fomos	foram
OUVIR		P.I.	ouço	ouves	ouve	ouvimos	ouvem
		P.P.S.			REGULAR		
PEDIR		P.I.	peço	pedes	pede	pedimos	pedem
		P.P.S.			REGULAR		
SAIR		P.I.	saio	sais	sai	saímos	saem
		P.P.S.	saí	saíste	saiu	saímos	saíram
SERVIR		P.I.	sirvo	serves	serve	servimos	servem
		P.P.S.			REGULAR		
SUBIR		P.I.	subo	sobes	sobe	subimos	sobem
		P.P.S.	subi	subiste	subiu	subimos	subiram
PÔR		P.I.	ponho	pões	põe	pomos	põem
		P.P.S.	pus	puseste	pôs	pusemos	puseram
HAVER DE*	AUX		hei de	hás de	há de	havemos de	hão de

*Exemplo: HAVER DE + INFINITIVO "Eu hei de ser médico"
          IR + INFINITIVO   "Eu vou ser médico"

Verbos – Pretérito Imperfeito

		Eu	Tu	Você Ele/ELa o Sr. /a Sra.	Nós	Vocês Eles/ELas os Srs. /as Sras.
VERBOS	AR	ava	avas	ava	ávamos	avam
	ER	ia	ias	ia	íamos	iam
	IR	ia	ias	ia	íamos	iam
SER	IMP.	era	eras	era	éramos	eram
TER	IMP.	tinha	tinhas	tinha	tínhamos	tinham
VIR	IMP.	vinha	vinhas	vinha	vínhamos	vinham
PÔR	IMP.	punha	punhas	punha	púnhamos	punham

Agradecimentos

– *Dr.ª Helena Bárbara Marques Dias, pelo apoio dado na elaboração deste trabalho*
– *Oceanário, pelas fotografias que gentilmente dispensaram*
– *Câmara Municipal de Évora, pelo mapa da cidade de Évora*
– *Clip Art Design, Comunicação e Imagem, pelo mapa da cidade de Lisboa*
– *Metropolitano de Lisboa, pelo mapa da linha de metro*